Abitibi-Témiscamingue

Révision : Sylvie Massariol
Design graphique : Nicole Lafond
Traitement des images : Mélanie Sabourin
Retouche d'images : Patrick Thibault
Correction : Brigitte Lépine

Vous pouvez joindre Mathieu Dupuis
à l'adresse courriel suivante :
matdupuis@sympatico.ca

Catalogage avant publication de
Bibliothèque et Archives nationales du Québec et de
Bibliothèque et Archives Canada

Dupuis, Mathieu

   Abitibi-Témiscamingue

   1. Abitibi-Témiscamingue (Québec) - Ouvrages
illustrés. 2. Abitibi-Témiscamingue (Québec).
I. Chabot, Denys. II. Titre.

   FC2945.A26D86 2006 971.4'1300222
   C2006-941722-9

Pour en savoir davantage sur nos publications,
visitez notre site : www.edhomme.com
Autres sites à visiter : www.edjour.com
www.edtypo.com • www.edvlb.com
www.edhexagone.com • www.edutilis.com

04-07

Dépôt légal : 2006
Bibliothèque et Archives nationales du Québec

ISBN : 978-2-7619-2242-5

DISTRIBUTEURS EXCLUSIFS :

• Pour le Canada et les États-Unis :
MESSAGERIES ADP*
2315, rue de la Province
Longueuil, Québec J4G 1G4
Tél. : (450) 640-1237
Télécopieur : (450) 674-6237
*une division du Groupe Sogides inc.,
   filiale du Groupe Livre Quebecor Média inc.

• Pour la France et les autres pays :
INTERFORUM editis
Immeuble Paryseine, 3, Allée de la Seine
94854 Ivry CEDEX
Tél. : 33 (0) 4 49 59 11 56/91
Télécopieur : 33 (0) 1 49 59 11 33
Service commandes France Métropolitaine
Tél. : 33 (0) 2 38 32 71 00
Télécopieur : 33 (0) 2 38 32 71 28
Internet : www.interforum.fr
Service commandes Export – DOM-TOM
Télécopieur : 33 (0) 2 38 32 78 86
Internet : www.interforum.fr
Courriel : cdes-export@interforum.fr

• Pour la Suisse :
INTERFORUM editis SUISSE
Case postale 69 – CH 1701 Fribourg – Suisse
Tél. : 41 (0) 26 460 80 60
Télécopieur : 41 (0) 26 460 80 68
Internet : www.interforumsuisse.ch
Courriel : office@interforumsuisse.ch
Distributeur : OLF S.A.
ZI. 3, Corminboeuf
Case postale 1061 – CH 1701 Fribourg – Suisse
Commandes : Tél. : 41 (0) 26 467 53 33
                     Télécopieur : 41 (0) 26 467 54 66
                     Internet : www.olf.ch
                     Courriel : information@olf.ch

• Pour la Belgique et le Luxembourg :
INTERFORUM editis BENELUX S.A.
Boulevard de l'Europe 117,
B-1301 Wavre – Belgique
Tél. : 32 (0) 10 42 03 20
Télécopieur : 32 (0) 10 41 20 24
Internet : www.interforum.be
Courriel : info@interforum.be

Gouvernement du Québec – Programme de crédit d'impôt pour
l'édition de livres – Gestion SODEC – www.sodec.gouv.qc.ca

L'Éditeur bénéficie du soutien de la Société de développement
des entreprises culturelles du Québec pour son programme
d'édition.

Le Conseil des Arts du Canada
The Canada Council for the Arts

Nous remercions le Conseil des Arts du Canada de l'aide
accordée à notre programme de publication.

Nous reconnaissons l'aide financière du gouvernement du
Canada par l'entremise du Programme d'aide au
développement de l'industrie de l'édition (PADIÉ) pour nos
activités d'édition.

PHOTOGRAPHIES
Mathieu Dupuis

textes de Denys Chabot

Abitibi-
Témiscamingue

LES ÉDITIONS DE
L'HOMME

*À Luc
et Pauline,
mes parents*

Au nord des Pays-d'en-Haut

JUSQU'AUX CONFINS DU CONTINENT... Pour les habitants des établissements initiaux, en secteur riverain de la vallée du Saint-Laurent, le terme « Pays-d'en-Haut » désigne d'abord les régions intérieures situées en amont de la colonie, tout ce territoire inconnu dont ils sont séparés par les rapides de Lachine, aux portes mêmes de Montréal. Puis, comme *Les Engagés du Grand Portage* de Léo-Paul Desrosiers nous font canoter depuis ces rapides jusqu'aux postes situés par-delà le grand lac des Esclaves, le nom englobe peu à peu ces vastes contrées qui vont bien au-delà des Grands Lacs, en fait jusqu'aux confins du continent.

À l'époque des grandes compagnies, ce Nord-Ouest est parcouru par les pionniers de l'expansion que sont les coureurs des bois, les marchands de pelleteries, les missionnaires, les truchements et les voyageurs, sous un ciel aéré, loin des encombrements de la tradition et de la hiérarchie. C'est le triomphe des assoiffés d'espace et des indomptables, le libre essaimage dans la nature, le refus de la domestication et les gestes de rupture qui s'ensuivent. L'oisillon brise l'œuf à coups de bec, avec le désir de bondir de sa coquille et d'affronter un plus vaste univers.

Plus qu'un simple lieu géographique donc, les Pays-d'en-Haut sont un endroit mythique, englobant au premier chef le Témiscamingue et l'Abitibi, au nord de la vallée de l'Outaouais, qui sont partie prenante du grand rêve esquissé par le curé Antoine Labelle : le rayonnement, par la colonisation, d'un empire qui s'étend des rives du fleuve jusqu'à la splendeur éthérée des terres boréales. Le Nord sublimé et l'Ouest où le soleil s'enfonce.

Territoire démesuré, d'une superficie de 65 143 km², l'Abitibi-Témiscamingue est une région aux dimensions de pays, limitée à l'ouest par la frontière ontarienne, au sud-est par la région de l'Outaouais, à l'est par les comtés formant la Mauricie et le Saguenay–Lac-Saint-Jean et au nord, au-delà du 49e parallèle, par la région du Nord-du-Québec où la prédominance des conifères impose une nuance de stricte austérité. D'une plus

Pages 6-7: Ruisseau du lac Hébert sous les premières neiges de novembre.

grande proximité que l'Abitibi, le territoire du Témiscamingue est depuis toujours lié à l'histoire de la Nouvelle-France. Important poste de traite, qui deviendra plus tard point de passage pour forestiers et colonisateurs, le fort Témiscamingue y est érigé en 1720.

DE LA RIVIÈRE DES OUTAOUAIS À LA BAIE JAMES. Située au cœur du bassin laurentien, la rivière des Outaouais est l'un des 350 tributaires du Saint-Laurent. Avec ses affluents, elle départage en quelque sorte l'Abitibi du Témiscamingue et, mêlant ses eaux au grand fleuve, elle communique avec les sept mers du monde. Elle traverse des paysages d'une singulière beauté, baignés d'une atmosphère souvent magique et qui s'imposent à la contemplation depuis la nuit des temps, puisque son socle remonte à l'archéen, l'ère la plus ancienne du précambrien.

Explorant et cartographiant un labyrinthe de cours d'eau, Samuel de Champlain se dirige, en 1613, vers les sources de la rivière des Outaouais dans l'espoir de découvrir le légendaire passage du Nord-Ouest. Alors qu'il bifurque au sud du lac Témiscamingue, en route vers le lac Nipissing, un des chefs du pays des Anishnabe (Algonquins) profite de son passage pour lui remettre une lame de plomb argentifère d'une longueur de 30 cm. Les Amérindiens extraient alors, en bordure du lac Témiscamingue, des morceaux de ce métal, qu'ils fondent en lingots. En expédition vers la baie d'Hudson, le 24 mai 1686 Pierre de Troyes, dit chevalier de Troyes, est conduit vers le site de ce gisement. Lors de ce voyage financé par les associés de la Compagnie du Nord, de Troyes est accompagné d'une centaine d'hommes, dont Pierre Le Moyne d'Iberville. Le lac Témiscamingue leur ouvre la grande voie septentrionale qu'avaient suivie avant eux Radisson et Des Groseilliers.

Après avoir franchi la dénivellation où bouillonnent les chutes des Quinze, ils renouent avec la navigation aisée sur les lacs des Quinze, Barrière, et la rivière Solitaire menant au lac Opasatica. Après un bref portage, ils se retrouvent sur le versant de la baie James. Gagnant par les lacs Dasserat et Duparquet le vaste lac Abitibi, ils construisent un fort sur la rive est de l'embouchure de la rivière Duparquet. Puis, ramant toujours plus au nord, ils s'empressent d'aller capturer trois factoreries à l'embouchure des rivières se jetant dans la baie James et d'en chasser les Anglais.

POSTES DE TRAITE ET APOSTOLAT. Lieux de convergence, les comptoirs d'échange sont tout autant des foyers d'apostolat. Le complexe fort-comptoir-mission constitue en fait la clé de voûte géopolitique de la présence française dans les Pays-d'en-Haut. L'Europe recherche les fourrures, surtout les peaux utilisées dans la chapellerie. Du XVIIe au XIXe siècle, les élites civiles, militaires et ecclésiastiques ont peur de déchoir de leur rang si elles ne portent pas de chapeau de poil de castor. L'économie de la Nouvelle-France repose alors essentiellement sur le commerce des pelleteries et, à la fin des années 1670, s'accentue la concurrence avec les Anglais qui tentent d'attirer vers leurs postes de la baie James les Algonquins traitant traditionnellement avec les Français. Pour contrer ce détournement, on érige en 1679 un poste de traite sur une île qui sera peu à peu rongée par les eaux du lac Témiscamingue.

Un deuxième poste voit le jour en 1720 sur la rive orientale du lac, à quelques kilomètres du site actuel de Ville-Marie. Il est fondé par le fermier Paul Guillet, au nom du gouverneur Vaudreuil. Après le traité de Paris mettant fin, en 1763, à la guerre de Sept Ans, les Anglais en font le poste de traite le plus important de l'est du Canada. Une cloche au sommet du fort Témiscamingue annonce l'arrivée des navires, des trottoirs de bois servent aux déplacements lors de la montée des eaux, des échelles sur les toits permettent d'intervenir en cas d'incendie, des clôtures empêchent les bestiaux de brouter dans les jardins. Comme dans tous les forts de l'époque, on y trouve un magasin à l'intérieur où les Indiens ne sont pas admis ; ils doivent négocier avec l'exploitant de comptoir à l'extérieur ou par une fenêtre. Le déclin du commerce des fourrures en sonne le glas en 1902 ; il faudra attendre 1970 pour que le site devienne Parc historique national.

EN MARGE DE LA NOUVELLE-FRANCE. Si le Témiscamingue partage son histoire avec celle de la Nouvelle-France, ce n'est pas le cas de l'Abitibi, la moins déflorée des régions, la plus chargée d'inconnu. Située dans le bassin de la baie d'Hudson et des territoires environnants, elle fait partie de la Terre de Rupert que le roi d'Angleterre, Charles II, offre au prince Rupert en 1670, sur laquelle régnera la Compagnie de la Baie d'Hudson. Comme les États-Unis achètent de la France la Louisiane et de la Russie l'Alaska, la Terre de Rupert est vendue au Dominion du Canada en 1870, qui lui donne le nom de Territoires-du-Nord-Ouest. Toutes les provinces connexes font alors valoir leurs prétentions à l'égard de ce vaste domaine. Mûrs pour le développement du commerce et la colonisation, ces territoires deviennent trop importants pour profiter aux seuls marchands de fourrure. C'est en 1898 que l'Abitibi est détachée du district d'Ungava et passe à la province de Québec, qui repousse ainsi sa frontière nord jusqu'à la rivière Eastmain.

DES ANCÊTRES DE PLUS DE 6000 ANS. En Abitibi-Témiscamingue, on a trouvé, et on trouve encore, des traces d'occupation humaine remontant à plusieurs millénaires. Ce n'est donc pas une région sans histoire et sans destin, réservée à ceux qui ont un amour outré de la solitude. On estime en effet que les ancêtres des Algonquins et des Cris habitaient ou fréquentaient ce territoire sur une base continue depuis des temps immémoriaux. Ils y avaient pénétré par vagues intermittentes, à mesure que vers le Nord s'accentuait le retrait de la calotte glaciaire faisant place au vaste lac Barlow-Ojibway, riche de fossiles et au sous-sol garni de trésors. Les lacs Témiscamingue et Abitibi, qu'une centaine de kilomètres séparent, sont de loin en loin ses vestiges. Ainsi, la plus ancienne trace d'occupation humaine repérée en bordure de la rivière Duparquet, près du lac Abitibi, remonte à quelque 6230 ans, soit à l'âge de bronze, bien avant l'apparition des pyramides d'Égypte, des civilisations crétoise et sumérienne.

Aussi loin que l'on remonte dans le temps, le mode de subsistance de ces communautés semble avoir été basé sur la chasse, la pêche et la cueillette de petits fruits sauvages. En font foi les vestiges laissés au gré de

Pages 12-13: Emmêlées de végétation, des pierres tombales de la Pointe-aux-Indiens, au lac Abitibi, où la Compagnie de la Baie d'Hudson a possédé un poste de traite de 1725 à 1922.

SACRED

To the Memory of
THOMAS FRASER Esq.
Chief Trader in
the Service of
The Honorable
Hudsons Bay Company
a native of Inverness-shire
Scotland,
who died at Abitibi,
Hudsons Bay.
first January 1849

leurs pérégrinations : les pointes de flèches, les couteaux et autres outils de chasse taillés à même certains types de roches, que les archéologues ont trouvés sur les quelque 400 sites répertoriés à ce jour et dont la collection d'artefacts s'élève maintenant à un peu plus d'un million de pièces. Les Algonquins furent les premiers à peupler les rives et les affluents de la rivière des Outaouais, la plus longue du Québec avec ses 1120 km et drainant aussi le bassin hydrographique le plus considérable. Une de leurs tribus portait le nom d'« Outaouais », qui signifie « cheveux relevés ». Unique voie de pénétration du Témiscamingue, ce cours d'eau venu des confins du Bouclier canadien fut longtemps désigné sous le nom de Grande Rivière.

Dès le XVIIe siècle, les Autochtones adoptent un mode de vie saisonnier, fondé sur la chasse et les échanges avec les Européens. La dispersion des coureurs des bois repousse petit à petit ces nomades à l'intérieur de leurs territoires de chasse. L'épuisement progressif des forêts pousse l'armée de bûcherons à remonter toujours plus au nord, si bien qu'en 1859 ils sont aux portes du Témiscamingue, refoulant toujours plus loin les Algonquins. Avant eux, les Iroquois avaient, par leurs attaques, repoussé plus au nord ces derniers, qui trouvèrent refuge chez leurs frères attikameks. Ils seront encore plus marginalisés par la colonisation agricole du Témiscamingue à partir de 1880, et de l'Abitibi à compter des années 1910.

DES SOUVENIRS AMERS. La mémoire collective répugne à sauvegarder certains souvenirs amers, déshonorants même, dont le tristement célèbre « scandale de Nédélec ». Aussi faut-il se rappeler que les 23 et 24 juin 1939, on a imbibé de whisky le gosier de tous les membres de la bande de la « Réserve des Sauvages », jusqu'à ce qu'au terme d'une beuverie de deux jours, hantés d'hallucinations, en transe, ils acceptent à l'unanimité de vendre une grande partie du territoire de leur réserve à la municipalité du canton de Nédélec, qui entendait distribuer ces terres en lots de colonisation à la population blanche. On leur offrit en échange 30 000 $; pour confondre leur imagination, on leur fit miroiter une masse de dollars, soit 3000 coupures de 10 $.

Métis écossais pour la plupart, ces Algonquins sont aujourd'hui confinés à une minuscule réserve de 2430 hectares, située à Notre-Dame-du-Nord, alors qu'en 1849 le gouvernement fédéral leur avait octroyé un territoire de plus de 40 000 hectares à l'extrémité nord du lac Témiscamingue, soit tout le canton de Nédélec. De même en fut-il, à divers degrés, de l'ensemble des Amérindiens de l'Abitibi-Témiscamingue, de plus en plus dépossédés, anémiés sur les plans social, culturel et économique, jusqu'à ce que l'établissement des réserves à compter des années 1950 les contraigne à la sédentarisation. Dès l'époque de la Nouvelle-France, ce sont eux qui, pourtant, avaient assuré les assises économiques de la colonie, fournissant fourrures, guides et interprètes, prêtant main-forte aux voyageurs et planifiant les arrivages, fabriquant canots, traîneaux et raquettes, seuls moyens de transport à l'époque.

La langue des âmes écoutées. Par leurs formes verbales, les Algonquins savent tout égayer à grand renfort d'images. Alors que les francophones font appel aux périphrases, eux sont tranchants, d'une concision qui parfois déchire. Leur langue possède les traits aigus, hardis et souples des grands félins. S'ils veulent parler d'un « lac bouché », ils diront *kipawa* ; d'une « rivière aux eaux vives », ce sera *winneway* ; d'une « rivière où l'on pêche de mauvais brochets », un seul mot suffira : *kinojévis*. Voient-ils un « castor boiteux » que le mot *macamic* surgit à leur esprit. Ils possèdent à la perfection l'art redoutable de définir ou de caractériser un homme ou un site d'un seul mot percutant. Sensible à cette hardiesse des images, à cette noblesse simple et grande de l'expression, Arthur Buies, sillonnant le Témiscamingue en 1888, a bellement dit de la langue de ses autochtones qu'elle était « riche de l'inédit des paysages, du pittoresque des solitudes, de la poésie des âmes écoutées ».

Les mêmes toponymes désignent les deux subdivisions de la région et les deux plus vastes lacs de son territoire. Témiscamingue, qui signifie « eaux profondes », tire son origine de deux mots : *thémia* pour « profond » et *gaming* pour « étendue d'eau » ; le « s » inséré dans Témiscamingue ajoute une nuance qui exprime la colère, l'irritabilité et la malveillance. Ainsi, ce lac doit son nom à la fois à la profondeur et à la malignité de ses eaux. L'étymologie du nom Abitibi nous rappelle que ce mot signifie « eaux du milieu » ou « eaux à mi-distance », ou encore « là où l'eau se rencontre à mi-chemin », ses composantes étant *abita* pour « moitié » ou « milieu », et bi contraction de *nipi*, pour « eau ».

Des toponymes pour la reconquête. Avec la colonisation agricole, le Témiscamingue voit peu à peu ses toponymes d'origine supplantés par des noms d'ecclésiastiques : Fabre, Guigues, Duhamel, Laniel, Laverlochère, Latulipe, Lorrainville, essentiellement des oblats. De même, Ville-Marie et Notre-Dame-du-Nord manifestent une récurrente dévotion mariale.

Duparquet, Royal-Roussillon, Villemontel, Senneterre, Dubuisson, Rouyn, Landrienne, La Sarre, Louvicourt… les toponymes de l'Abitibi abondent en beaux noms français, sonores et évocateurs, sans toutefois que l'on sache toujours de qui ils sont l'évocation, alors que l'on s'apprête à célébrer en 2008 le centième anniversaire de la proclamation de ces noms de cantons. Au cours de la première décennie du xxe siècle, le gouvernement de Wilfrid Laurier entreprend la construction d'un vaste tronçon du Transcontinental National qui doit traverser d'ouest en est tout le territoire abitibien. Classifiée en lots, divisée en 50 cantons, la région est alors prête à accueillir par rail sa première vague de peuplement.

On se rappelle que, à la suggestion d'Eugène Rouillard, président de la Commission de géographie du Québec, c'est le président du Conseil législatif du Québec et ministre des Terres et Forêts, Adélard Turgeon, qui propose, dans son rapport annuel de 1908, que ces cantons honorent la mémoire des officiers et des régiments de l'armée de Montcalm lors de la bataille sur les plaines d'Abraham. Les noms des régiments étant placés en tête « rangés comme en ordre de bataille, de l'ouest à l'est, puis ceux des officiers attachés à chacun de ces corps, alignés du nord au sud ».

Se voient ainsi déployés sur la carte de l'Abitibi, le long du Transcontinental, les sept premiers cantons portant les noms des régiments de La Reine, La Sarre, Royal-Roussillon, Languedoc, Guyenne, Berry et Béarn. Puis, au sud de chacun de ces cantons, apparaît le nom des officiers attachés à chaque unité militaire. Ainsi, pour le régiment La Reine : Desméloizes, Roquemaure, Hébécourt, Montbray, Dasserat ; pour le régiment La Sarre : Palmarolle, Duparquet, Duprat, Beauchastel, Montbeillard. Au total, plus d'une centaine de toponymes abitibiens se rapportent à l'armée de Montcalm.

L'idée va loin, l'intention est manifeste. Ces noms figurent sur la liste des officiers que le chevalier de Lévis recommande au roi de France pour services signalés, et leur évocation est destinée à éveiller des souvenirs légendaires ou historiques. Mais il ne s'agit pas seulement de ressusciter les gloires militaires du Régime français. Terre neuve jusque dans ses assises, l'Abitibi devait initialement se révéler une transposition de la Nouvelle-France en pays neuf, dans une chasse gardée nordique taillée sur mesure où serait maintenue la prédominance de la présence française.

Dans les faits, cette région sera destinée à refaire l'histoire autrement, à la recomposer selon un modèle inédit au Québec, où agriculture, foresterie et mines se développeront de concert, dans un singulier brassage de populations. Un projet d'une tout autre nature que celui de Félix-Antoine Savard, qui rêva de créer en Abitibi un nouveau Péribonka, un petit éden catholique dans une sorte de claustration idyllique, et à qui ces noms de lieux arrachent des cris d'exaltation : « Les beaux toponymes se succèdent. Cela est jeune, vigoureux, martial. Que les grands noms de la chère France gardent cette terre toujours ! »

Le projet agricole abitibien devait s'inscrire dans un idéal d'enracinement, dans une quête de régénération par le Nord. La colonisation comme phase de reconquête, comme le suggère le choix délibéré des toponymes. Relever le flambeau là où il était tombé sur les plaines d'Abraham ! Il entrait peut-être, dans cette façon de faire appel au passé, un désir fervent, quoique sans espoir, de le réinventer, d'en altérer le cours. Le journaliste et homme politique Hector Authier, qui ne pouvait réveiller le passé sans plonger dans l'avenir, fait écho à cet esprit lorsqu'il prend la parole à l'Exposition du centenaire de Chicago, le 14 septembre 1933. Dans la Ville des Vents, qui a su garder vif le souvenir de ses pionniers, le père Marquette et son compagnon Jolliet, il affirme que l'ajout du vaste territoire abitibien au patrimoine québécois compense à peine le sentiment d'une grande destinée manquée que lui inspire le rétrécissement continu de la présence française en Amérique.

Il va de soi que l'appropriation de ces toponymes n'est pas spontanée. Ainsi, plutôt que de donner aux gares le nom du canton où elles sont érigées, le Transcontinental National les affuble d'appellations telles que Cook, Peter Brown, Okiko et même Kakaméo (un nom dont la résonance, on en conviendra, n'est pas de nature à éveiller des élans pionniers même chez le plus farouche des colonisateurs). Premier agent des terres et des mines du district d'Abitibi, et à ce titre doté de pouvoirs qui s'apparentent presque à ceux d'un gouverneur, Hector Authier s'en indigne et exige le respect des dénominations de cantons. Ces noms de lieu passent vite dans l'usage courant. Leur effet rassembleur s'avère bientôt déterminant, si bien que lors des célébrations marquant le 25e anniversaire de l'ouverture de l'Abitibi à la colonisation, on voit défiler dans les rues d'Amos, le chef-lieu de district, l'inoubliable « parade des cantons ».

Toutes les costumières, tous les perruquiers sont à l'œuvre et, le 8 août 1938, ce n'est pas sans une immense fierté que, dans les rues pavoisées de la doyenne des villes abitibiennes, 500 figurants redonnent vie et âme aux officiers et aux soldats de l'armée de Montcalm. Lieutenants de régiment, capitaines des grenadiers, aides de camp, colonels d'infanterie, gentilshommes français, Amérindiens emplumés du toupet jusqu'à la base du tronc, défilent en costumes d'époque. Des groupes entiers personnifient des régiments ; pour chaque régiment, un groupe de dames costumées figurent la province de France d'où ces militaires sont originaires. L'effet est spectaculaire, mémorable.

Euphorisé, on y a le sentiment d'inventer sa propre histoire, sa propre symbiose, comme si, outre l'aspect commémoratif, cette manifestation de fierté devait consacrer l'irruption soudaine des Abitibiens dans leur propre destin. Il s'agit du plus grand rassemblement régional jusqu'à ce jour. Quelque 15 000 Abitibiens s'y découvrent et prennent pour la première fois conscience des progrès de leur région et de la fierté nouvelle qu'elle leur inspire ; les récits des pionniers le font ressortir à chaque ligne. Pour la première fois aussi, leur histoire leur est racontée dans toute sa démesure.

Pour la plupart des agriculteurs, la paroisse forme le cadre social de référence. Le plus souvent regroupés en fonction d'un même lieu d'origine pour favoriser la cohésion sociale et les mouvements de solidarité, les colonisateurs abitibiens donnent à leurs villages des hagionymes accompagnés de déterminatifs, indiquant à la fois le nom de leur paroisse d'origine et le nom du canton où ils se sont établis. Ainsi, à compter de 1935, des pionniers partent de l'ancienne seigneurie de Saint-Joseph-de-Beauce pour s'établir dans le canton de Cléricy ; ils y forment le village de Saint-Joseph-de-Cléricy. À quelques exceptions près, c'est maintenant le nom du canton qui prévaut.

LES AMÉRINDIENS ET LEUR CONNAISSANCE INTIME DU MILIEU. Résolus à avoir prise sur leur existence et à se déterminer eux-mêmes, les Amérindiens de l'Abitibi-Témiscamingue se sont dotés de structures d'encadrement et de concertation, d'instruments de développement tant en milieu urbain que dans leurs communautés respectives ; il s'agit entre autres du Centre d'amitié autochtone et du Pavillon autochtone du Centre d'études supérieures Lucien-Cliche de Val-d'Or.

La Réserve faunique La Vérendrye, d'une superficie de plus de 13 500 km², englobe 4000 lacs et deux communautés autochtones, dont Kitcisakik, ou « lac de la grande embouchure », lieu de séjour estival de la seule nation amérindienne québécoise encore semi-nomade. Migrant au gré de la trappe et de la chasse à l'orignal, elle est déterminée coûte que coûte à mener la vie traditionnelle de ses ancêtres, mais elle entend aussi reprendre en main toutes les composantes de sa vie, au-delà des blessures mémorielles, des déprédations subies et de l'amenuisement de son espace vital. Ses chefs, sans doute les derniers utopistes d'une région qui, pourtant, en compta de nombreux, gardent dans leurs papiers les plans d'un village dessinés par Douglas Cardinal, l'architecte du Musée canadien des civilisations de Gatineau, et rêvent de cette agglomération située hors réserve, avec centre communautaire, dispensaire, école, habitations en étoilement et accès aux abondantes ressources naturelles du territoire afférent afin d'assurer à la communauté des assises économiques, là où connaissance du territoire signifie possession.

Guides et éclaireurs, depuis toujours les Anishnabe ont de l'Abitibi-Témiscamingue la connaissance la plus intime, qu'ils portent en eux comme un patrimoine. Ils perçoivent leur milieu de vie de l'intérieur, si bien qu'ils peuvent, les yeux fermés, dresser la carte de tous ses cours d'eau, de ses moindres îles et points de repère.

Paysage hivernal, aux lignes amples et simples,
aux configurations sans cesse redessinées par les vents.

Où l'orignal broute les nymphéas

AU-DELÀ DU FRIMAS. Au cours de l'hiver 1909, un Russe de Sibérie, poseur de rails pour le Transcontinental National, est retrouvé mort gelé dans la région de La Sarre. Quelques années plus tard, lors de la toute première visite d'un chef d'État québécois en Abitibi-Témiscamingue, Sir Lomer Gouin arrive à Amos en pleine canicule. Au cours de la nuit qui suit, il est réveillé par un froid entêtant; s'approchant de la fenêtre de son wagon-lit, le premier ministre constate qu'en ce 19 juin 1914, une bordée de neige s'est abattue sur la jeune contrée. Du 25 au 29 mars 1947, une tempête de neige immobilise l'Abitibi avec tant de force qu'un train est porté disparu entre Senneterre et Barraute, comme si un convoi ferroviaire pouvait s'égarer dans les poudreries surabondantes et les accumulations de neige dépassant en hauteur les locomotives.

On le comprend, l'Abitibi-Témiscamingue a longuement traîné une réputation qui l'associait presque à un désert de glace. Une région si dénigrée qu'elle en donnait le frisson. Un avant-poste du pôle Nord aux forêts sifflantes, avec des froids à couper les loups en deux. Un climat somme toute outrageusement calomnié, véritable épouvantail, comme si, au-delà des Laurentides, ne pouvait s'étendre qu'une vaste zone éternellement saisie de frimas. D'où, en partie, l'inhibition qui a pesé si longtemps sur l'Abitibi. Cette vaste contrée muette, reléguée aux oubliettes, a été confinée derrière une intense sauvagerie et dénuée de bonnes voies de communication, jusqu'à ce que le rail en brise l'isolement, au-delà de cette sinueuse ligne de partage des eaux, à la jonction de deux des trois grands bassins hydrographiques du Québec, entre le bassin versant de la baie James et celui du Saint-Laurent.

On aurait tort d'expliquer la longue abstention à l'endroit de l'Abitibi par de supposés facteurs climatiques. Cette région a mis plus de 2000 ans à se débarrasser de son manteau glaciaire et il y a belle lurette qu'elle s'est arrachée à l'emprise des glaces. Son climat est de type continental tempéré, aux belles alternances, aux quatre saisons bien marquées comportant une saison végétative nettement suffisante. Bien que ces mises en parallèle

Pages 22-23 : Première neige automnale dans une tourbière
de la région de Senneterre, en bordure d'une route forestière.

21

soient souvent abusives, un peu retorses même, il est bon de rappeler que Val-d'Or et Munich en Allemagne ont la même latitude, de même pour La Sarre et Paris, Amos et Strasbourg ; quant à Rouyn-Noranda, elle se trouve à un degré plus au sud que Vancouver sur la côte du Pacifique. En outre, les lacs Témiscamingue et Abitibi ont des effets adoucissants sur le climat des zones agricoles environnantes. La saison sans gel est de 120 jours au Témiscamingue mais de 80 jours en Abitibi, ce qui explique une nette altération dans la composition des paysages des deux régions.

UNE TERRE DE BOIS. Les paysages témiscamiens sont composés d'une forêt mixte caractérisée par un mélange d'érable à sucre et de bouleau jaune, en plus du sapin baumier, du hêtre et du bouleau blanc. Les paysages abitibiens marquent par contre la progressive transition entre une flore du sud et celle du nord. Les arbres y sont plus trapus, plus serrés. En général, les racines s'accrochent faiblement à l'argile et les fûts se trouvent exposés au déracinement, si bien que lors des abatis (une fois les arbres coupés, on met le feu aux souches pour s'épargner le labeur d'en extirper les racines), on constate à certains endroits que la couche d'humus est d'une telle minceur que la technique du brûlis rend par la suite la terre impropre à la culture. Le sapin baumier et le bouleau blanc se partagent l'espace abitibien, en plus de l'épinette, blanche ou noire, et du peuplier faux-tremble. C'est dans ce terreau que se dresse le plus vieil arbre du Québec, un cèdre âgé de plus de 915 ans, sur l'une des îles du lac Duparquet.

Dans la zone plus nordique, l'épinette noire est l'arbre qui règne en maître presque absolu, si l'on fait exception de quelques îlots de pins gris et de trembles. Alors qu'il herborisait le long de la route reliant Mont-Laurier à Val-d'Or, récemment ouverte, le frère Marie-Victorin observait au début des années 1940 que l'érable rouge, l'érable à sucre, l'ostrya de Virginie et le hêtre, tous des arbres des basses terres laurentiennes, croissaient en abondance à travers les peuplements boréaux à large prépondérance d'épinettes noires et de sapins poussant dru comme les cheveux sur la tête, et cela jusqu'à la ligne de partage des eaux.

On y voit l'orignal brouter les odorantes feuilles flottantes des nymphéas et des lys d'eau, dans des motifs que l'on croirait surgis de la palette de Monet. Ailleurs en forêt, en petit nombre, se faufilent subrepticement des lynx et, exceptionnellement, des couguars, ces félins au pelage fauve uni, sans crinière, que l'on nomme aussi « lions de montagnes » ; de grands chats sauvages de la taille des panthères !

CONTRASTES ET LUMIÈRE. Il est vrai, le climat abitibien peut parfois s'avérer rude et brutal. C'est le climat d'une zone de transition aux humeurs inégales, faisant passer avec brusquerie hommes et plantes de la glacière à l'étuve, et inversement. On y trouve de fortes amplitudes thermiques, avec risques d'incartades, de gelées hors-saison. Le Témiscamingue, par contre, est favorisé d'une plus longue immunité contre les gelées. C'est, somme toute, un pays où prospecteurs, trappeurs, pêcheurs, randonneurs et forestiers doivent s'initier aux capricieux mystères de la glace, apprendre à tirer parti de ses forces tout en redoutant ses trahisons, savoir en sonder l'épaisseur et la composition, déceler les minces couches d'air sur lesquelles elle repose, les ruptures soudaines, les lézardes ouvertes par le froid d'une rive à l'autre. Les glaces de certains lacs sont particulièrement traîtresses ; elles peuvent s'avérer de véritables cimetières. Ainsi, il gisait, disait-on, au fond du lac Témiscamingue assez de chevaux pour peupler les écuries d'un village entier.

L'Abitibi-Témiscamingue chevauche trois provinces naturelles du Québec, nettement caractérisées : les Laurentides méridionales, essentiellement dans le Témiscamingue, les basses terres de l'Abitibi et de la baie James, au nord de la ligne de partage des eaux, et les hautes terres de Mistassini, à l'extrême nord-est de l'Abitibi. Non pas que le tonnerre y soit plus sonore et l'éclair plus vif qu'ailleurs, mais cette région est d'une grande luminosité. L'ensoleillement y dure jusqu'à 140 minutes de plus par semaine que dans la région montréalaise. Bénéficiant d'un surcroît de temps pour butiner, les abeilles y donnent du reste plus de miel qu'ailleurs. Il est à noter que la croissance prolongée donne aux arbres une fibre plus dense, d'où la grande qualité reconnue au bois de la région.

Dès 1915, l'abbé Ivanhoé Caron constate que « les jours y étant très longs… il n'y a pas d'arrêt dans la végétation ». Les ciels abitibiens jouissent de l'éclairage du 48e parallèle, le même qu'à Paris, comme le constate avec enjouement la peintre Louisa Nicol. Et l'argile blême y est pleine de qualités. Une terre forte, compacte et rebelle certes, sans réseau de ravins assurant son rapide égouttement, demandant donc plus d'apprêts mais offrant néanmoins de beaux terroirs. Les premiers arrivants, qui savaient apprécier la bonne glèbe, ne disaient-ils pas : « Quand on va descendre du train, si la terre colle, on va rester là ! » Dans les années 1950, le rendement abitibien de 25 boisseaux d'avoine à l'acre était de deux boisseaux supérieur à la moyenne québécoise.

DES RÉSIDUS DE GLACIERS. Voilà donc un pays pour ceux que l'espace hante, qui ont besoin de voir loin. Les paysages de l'Abitibi-Témiscamingue ont été modelés à travers l'histoire et remodelés selon l'érosion que leur a fait subir le frottement des grands glaciers, qui se déformaient sous leur propre poids et coulaient sous l'effet de la gravité. Râpant tout sur leur passage, mettant à nu des gisements ou engouffrant les minéraux sous d'épais débris, ces glaciers érodaient la pierre et l'égrenaient, formant moraines et eskers, de même que l'argile servant aujourd'hui de substrat à la région.

À la hauteur des terres, entre Louvicourt à l'est et la frontière ontarienne à l'ouest, nous retrouvons des étangs, des marécages, des plans d'eau et tout un entrelacs de ruisseaux et de rivières. Ce sont tous là des vestiges d'une vaste mer intérieure, le lac Barlow-Ojibway, l'un des plus grands lacs glaciaires du continent. Il a été formé il y a environ 10 000 ans, à la suite de l'égouttement d'un glacier de plusieurs kilomètres d'épaisseur qui trônait là depuis quelque 100 000 ans et au fond duquel s'est déposée une couverture d'argile d'une épaisseur moyenne de sept mètres. On peut observer, comme témoins de cette déglaciation, des dépôts de plage à une hauteur inhabituelle sur le versant nord des collines Abijévis, par 390 m d'altitude.

L'Abitibi-Témiscamingue se trouve en partie dans la province tectonique du lac Supérieur, en partie dans celle de Grenville. La « sous-province » de l'Abitibi se caractérise par la plus vaste étendue de roches vertes et de granite du monde. Ses roches datent de quelque 2500 millions d'années ; elles sont les plus anciennes de l'Amérique du Nord. Quant aux sédiments dont est composée son argile (farine de roche faite d'un matériau très fin mis en place voilà quelque 9000 ans), ils peuvent connaître d'étonnantes fluctuations si bien qu'en 1937, lors de la construction du pont ferroviaire sur la Kinojévis, on a sondé à travers 42 m d'argile sans frapper le fond rocheux.

Dans les terres planes de l'Abitibi, apparaissent des caps et des échines à la répartition déconcertante, quelques croupes où la présence de longs et sinueux cordons de sable de graviers et de cailloutis laisse entrevoir une moraine, un esker. Toute la région de Val-d'Or s'abreuve aux sources de la moraine de l'Harricana et autres dépôts granulaires filtrant une eau d'une pureté exceptionnelle. Le puits de cette ville est d'ailleurs l'un des plus gros du monde à tirer son eau de dépôts attribuables à l'action d'un antique glacier. Du nord au sud, apparaissent en parallèle quatre grands eskers quasi rectilignes, passant par Taschereau, Amos et Senneterre.

VARIATION SUR LE THÈME DU « PLAT PAYS » DE BREL. Du lac Abitibi à l'ouest, à la rivière Bell dans la région de Senneterre, le trait capital du relief semble précisément être une absence de relief, sans équivalent dans le reste du Québec. Une grande plaine plate comme une étoffe bien tirée, contenant une « région aux cent mille lacs ». En été, on n'a pas à faire bien longue route pour trouver la fraîcheur d'un bord de l'eau.

L'enclave argileuse de l'Abitibi prend l'aspect d'une vaste plaine étale d'une « inflexible horizontalité », selon l'expression de Raoul Blanchard, géographe français doué d'une langue bien boulonnée, solide et précise.

LE PARC NATIONAL D'AIGUEBELLE. Absence de relief donc, sauf précisément la chaîne de collines Abijévis, où chaque roche raconte les milliards d'années d'évolution de notre planète et où se trouve le point culminant de l'Abitibi, le mont Dominant (566 m), dans un amalgame de rocs écharnés, de lacs de failles spectaculaires, de sculptures d'origine volcanique formées sur un fond océanique, de gouffres vertigineux et de lacs bien encaissés. C'est le Parc national d'Aiguebelle qui, de tout temps, a servi de garde-manger aux Amérindiens et aux premiers colonisateurs, avec sa surabondance d'orignaux, d'ours, de castors, de visons et de renards, de corégones et de brochets, de canards et de balbuzards.

Ce territoire a obtenu le statut de réserve de chasse et de pêche en octobre 1945, puis de parc national en février 1985. On y trouve la plus forte densité d'orignaux du Nord québécois, en plus de 450 barrages de castors répartis sur les 268,3 km² de son territoire. Aiguebelle compte des formations géologiques parmi les plus vieilles de la planète. Émergé dans la nuit des temps, daté à la méthode radiocarbone, son socle rocheux fut constitué voilà 2,7 milliards d'années. Ce fut tour à tour un pays hérissé de volcans, noyé de mers immenses et figé de froids glaciers.

Le berceau du Nord... Le Parc national d'Aiguebelle serait le berceau de l'Amérique du Nord, selon une hypothèse pour le moins audacieuse avancée par Andrew Calvert et un groupe de géophysiciens québécois. Cette même proposition veut que notre continent ait été formé à partir de microcontinents, dont l'un aurait trouvé sa source précisément à la tête des eaux, entre les lacs Abitibi et Témiscamingue.

Une autre hypothèse suggère que l'Abitibi a été le berceau de la vie au Québec. C'est du moins ce qu'avance l'équipe de géologues-prospecteurs du groupe minier Noranda, qui a découvert, en 1994 à Joutel, à 120 km au nord-ouest d'Amos, une succession de lamelles constituant un stromatolithe. Ces fines lames, miraculeusement préservées de l'érosion, ont été identifiées par Hans Hofmann, paléontologue de l'Université de Montréal spécialisé dans le précambrien, comme un fossile de 2,7 milliards d'années, ce qui en fait le plus vieux vestige fossilisé trouvé jusqu'à maintenant en sol québécois.

... et de deux lacs immenses. La vaste nappe du lac Abitibi n'est en fait qu'une pellicule liquide ayant rarement plus de 3 m de profondeur. Les argiles colorées qui la bordent donnent d'excellentes terres, à production rapide et abondante. Un lac tout en surface donc ; le moindre vent peut agiter ses eaux au point de les rendre troubles et laiteuses.

Le lac Témiscamingue, qui fait 96 km de longueur, épouse la forme d'un vaste entonnoir au long col. Lac de faille, logé dans une cassure de la croûte terrestre, ses rives sont constituées des massifs vert sombre de forêts ou de hautes murailles granitiques tombant à pic dans ses eaux. Ce lac est une excroissance de la rivière des Outaouais qui, sur une partie de son parcours nord-sud, définit la frontière entre le Québec et l'Ontario. La tête du lac se dessine à partir de l'élargissement succédant aux rapides des Quinze. Portant bien son nom, soudain ses eaux deviennent noires là où elles recouvrent des abîmes. Un lac, selon Arthur Buies, « dont l'eau est si profonde qu'à quelques pas de la rive on pourrait mouiller les navires réunis des plus grandes marines du monde ».

Pages 28-29 : Entre les lacs Tee et Kipawa, baignées dans la lumière du levant, des brumes matinales s'arrachent aux marais.

Plongeur émergeant d'un lac du Parc national d'Aiguebelle.

Alors que le jour décline, un orignal fait son apparition en bordure de la rivière Kinojévis.

Dans toutes
ses couleurs
contrastées,
dans l'exubérance
automnale, au petit
matin, un lac
de tourbière
se dessine
dans la région
de Témiscaming.

Au creux d'une faille des collines Abijévis, le lac Sault
est traversé par un pont incurvé, d'inspiration japonaise.

Chevreuil apparu dans l'air humide et frais d'un sous-bois.

Tortue peinte du marais Laperrière.

Cane et canetons rassemblés sur la berge du lac Chassignolle,
à Preissac, aux sources de la rivière Kinojévis.

Aux abords
de la pointe
Opimica, qui ferme
au sud le lac
Témiscamingue,
un kayakiste lancé
dans les lueurs
d'un soleil exténué,
sous une ligne
d'horizon estompée
de brume.

Où l'orignal broute les nymphéas

Profondément encaissées, les eaux du lac Témiscamingue sont
traversées par un voilier qui semble porter toute la solitude du monde.

Où l'orignal broute les nymphéas

Dans une vaste baie du lac Témiscamingue, Ville-Marie goûte
la trêve du soir.

Devil Rock (rocher du diable) constitue la face de faille la plus proche bordant la rive ouest du lac Témiscamingue. Cette paroi, d'une hauteur de 100 m, s'enfonce à cet endroit à 124 m de profondeur.

Dans la tiédeur et les illuminations du couchant,
l'ancien remorqueur *T.-E. Draper*, amarré à Angliers.

Vaporeuses, évanescentes, les eaux évacuées
par le barrage des Quinze, à Angliers.

Véritable labyrinthe de grandes baies, le lac Kipawa, au lever
du jour. Encerclée de magnifiques forêts de pins blancs et rouges,
cette vaste nappe d'eau couvre cinq cantons.

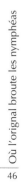

Navigation sur le lac aux Sangsues, dans la zec Dumoine.

Vestiges de l'ère du flottage du bois, au lac Buies, où des parois rocheuses font apparaître de nombreux pictogrammes.

Pointé vers le lac Beauchastel, un canot de cèdre.

À la hauteur des terres, la profusion des eaux.
Ici, la plage de sable du lac Joannès.

Pêche dans le crépuscule, aux abords
de la colline Cheminis.

Dédoublé dans
les eaux de la rivière
Kinojévis, le pont
ferroviaire reliant
Rouyn-Noranda
à Val-d'Or, dont
le tronçon fut
inauguré le
3 décembre 1938.

Le lac Sault, dans le Parc national d'Aiguebelle.

Au point du jour, la rive de l'île du Collège,
baignée par le lac Témiscamingue.

Dans la profusion de ses îles, le lac Duparquet dont le nom initial algonquin, *Akekekami*, signifie « eaux suspendues ».

La débâcle printanière du lac Camatose, dans la Réserve faunique La Vérendrye.

Pages 54-55 : Sur les rives du Grand lac Victoria, l'une des habitations du village de Kitcisakik, où réside pendant la saison estivale la dernière communauté amérindienne semi-nomade du Québec.

Thomas Anichinapéo et Doreen Michel, aux abords
de la chapelle Sainte-Clothilde de Kitcisakik, restaurée en 1998.

L'intérieur de la chapelle Sainte-Clothilde est décoré avec le sobre raffinement de la tradition algonquine. Construit en 1863, ce temple est le plus ancien bâtiment que recèle le patrimoine abitibien.

D'une poignée de blé naît un pays

LE PÈRE DU TÉMISCAMINGUE. Il a suffi qu'un simple frère convers, appliqué aux besognes les plus subalternes, lance à toute volée des poignées de grains de blé dans des sillons fraîchement tracés pour que, peu à peu, cette terre se mette à respirer et que le Témiscamingue agricole voit pleinement le jour…

En mai 1879, le frère Joseph Moffet arpente en effet la glèbe toute frémissante de fécondité qui borde la Baie-des-Pères et y sème ses quatre premiers minots de blé, là où les vents agiteront l'été venu de lourds épis. Ce geste plein de retentissement lui vaudra d'ailleurs le titre de « père du Témiscamingue agricole et fondateur de Ville-Marie ». En 1919, dans ses *Croquis laurentiens,* le frère Marie-Victorin rendra hommage à ce personnage considérable, doué d'une vigueur astucieuse : « C'est lui qui le premier, et tout seul, crut à l'avenir du Témiscamingue. »

Les chefs algonquins lui manifesteront également leur reconnaissance le 15 août 1881 en le faisant entrer dans leur vocabulaire sous le nom de Maïakisis, ce qui signifie « avec le soleil », parce que, sur pied dès l'aube, le frère Moffet a la réputation d'un éveilleur matinal. C'est aussi un colosse : il peut hisser sans broncher, au sommet d'une charge, des barils de lard de 155 kg. Or, ce missionnaire-colon exaspère son supérieur, le père Pian, à un point tel que ce dernier l'envoie promener en ces termes : « Allez cultiver le Groenland si vous voulez, mais ne me parlez plus de vos utopies ! »,

Joseph Moffet arrive à la mission oblate Saint-Claude, sise sur une langue de terre de la rive ontarienne du lac Témiscamingue, le 9 septembre 1872. C'est alors un tout jeune homme de 18 ans. Des sœurs grises de la Croix y font office d'institutrices et d'infirmières. En plus de s'occuper d'intendance, elles tiennent table ouverte. L'abbé Jean-Baptiste Proulx s'en rappellera, lui qui, dans *À la Baie d'Hudson,* s'empressera de noter : « Une mission ne vit pas seulement de dévouement, il lui faut une cuisine, surtout chez les Sauvages où le garde-manger est souvent le vestibule de l'église et un bon dîner le véhicule de la grâce. »

Pages 60-61 : Entre Saint-Bruno-de-Guigues et Ville-Marie,
des champs dorés à perte de vue.

Ces religieuses exercent de la sorte un fort ascendant sur la communauté algonquine de la région. Chaque été, la fête de l'Assomption est célébrée dans un joyeux attroupement. Des centaines de tentes de toile blanche sont dressées aux abords de la mission, où la prédication se donne en plein air. À proximité, le sol graveleux est si pauvre que même les herbes sauvages ont peine à y pousser. Le frère Moffet n'est pas loin de se convaincre de l'absolue indigence de ce coin de pays en matière agricole. À peine quelques îlots sablonneux émergent à la naissance du lac Témiscamingue ; on y fauche quelques mulons de foin de grève, appelé « foin de castor ».

Cela étant, les oblats du Témiscamingue sont les premiers à songer sérieusement à tirer leur subsistance du sol, alors que les Amérindiens y vivent de chasse et de pêche. Les autres Blancs y sont soit trafiquants de fourrures, soit bûcherons exclusivement adonnés à la coupe forestière, à moins d'être l'un de ces ermites bien connus de la région, qui vivent dans des cabanes de branches en attendant que les trompettes du Jugement dernier annoncent la fin du monde.

D'ABORD, PAYS DE MISSION. Déterminé à arracher les aborigènes à leurs ténèbres, à leurs pratiques de rites magiques pour vivre vieux ou faire tomber la pluie, le premier missionnaire du Témiscamingue, le sulpicien Louis-Charles Lefebvre de Bellefeuille, gagne la rive québécoise du lac Témiscamingue en 1836 et officie baptêmes et mariages. Il érige une chapelle en bois sur une langue de terre avancée du détroit, là où, en 1720, fut érigé un fort, avec ses constructions bourgeoises entourées de palissades à claire-voie.

Les années suivantes, crucifix à la main, le sulpicien d'Oka étend sa prédication jusqu'au lac Abitibi, auquel s'ajoute bientôt le Grand lac Victoria. Il ouvre ainsi à la foi catholique tout le nord-ouest du Bas-Canada et même par-delà. Avec la même jubilation apostolique, Jean-Nicolas Laverlochère, premier oblat à pénétrer, en 1844, dans les solitudes du Témiscamingue, passe ses hivers à se nourrir de lièvres de la forêt et de poissons des rivières. Pour avoir trop souvent dormi à même le sol lors de ses exténuantes missions, avec le ciel pour tout baldaquin par des froids hyperboréens, il est frappé de paralysie en 1852 en plein ministère d'apôtre, 34 ans avant sa mort. Il ne lui restera plus qu'à « exercer l'apostolat de la souffrance », comme il fut dit.

Dans cette tradition mystique de sainte macération, il est des récits de missionnaires qui glacent les sangs. Mgr Narcisse-Zéphirin Lorrain, dans le journal de route qu'il tient lors de sa visite pastorale à la Baie-d'Hudson en juillet 1884, consigne d'une plume grinçante : « Nous sommes horriblement tourmentés par les petites mouches noires qui nous suivent par essaims et nous aveuglent. » Ailleurs, il relate le long supplice que lui fait subir son réveil au petit matin quand il se retrouve « transi de froid, dévoré de mouches, maringouins gros, jaunes, malins, et brûlots ». Le lendemain, le menu a varié : « Pluie battante, grêle, neige, froid, vent violent ». Un historien oblat, qui n'élève pas la voix, qui ne force pas sa pensée, n'a pu que le constater : « On vivait dans une ambiance continuelle d'immolation. »

PUIS, PAYS DE BÛCHERONS ET DE COLONS. Suivent deux types de poussée vers le Nord : celle du forestier et celle du colonisateur, qui se voient bientôt mis en concurrence et parfois en opposition ouverte, dans une tension virulente. Chevalier d'industrie, Philémon Wright donne son impulsion à l'industrie forestière en Outaouais et y crée le commerce des chantiers. Au milieu du XIXe siècle, des milliers de kilomètres carrés de concessions forestières du bassin de l'Outaouais supérieur sont vendus aux enchères. À compter des années 1860, des centaines de bûcherons se lancent donc à l'assaut des forêts du Témiscamingue, en quête de nouveaux parterres de coupes.

Vers 1900, les chantiers ont déjà dépassé le nord du lac Témiscamingue et amorcent la pénétration du territoire par-delà l'endroit où, fougueuse et bondissante, la rivière des Outaouais se précipite en mugissant au bas des quinze cascades successives qui lui valent l'appellation de « rivière des Quinze ». Une armée de quelque 5000 bûcherons se trouve alors en forêt témiscamienne. Des trains de bois, longs convois flottants formés de pins équarris liés, descendent la rivière des Outaouais et atteignent, par le Saint-Laurent, le port de Québec. Là, ils sont chargés à bord de navires destinés aux chantiers maritimes de l'Angleterre. Le pin blanc est alors l'un des plus grands arbres de l'est du Canada, atteignant parfois 60 m de hauteur et 150 cm de diamètre à la base, assez solide et élancé pour faire office de mât de navire.

Les colonisateurs aussi veulent leur part du gâteau. La Société de colonisation du Témiscamingue voit le jour à l'évêché d'Ottawa le 12 décembre 1884. Elle recrute les premiers colonisateurs, dont la plupart proviennent de Terrebonne, de Saint-Lin, de Sorel, de Saint-Paulin et de Saint-Didace, notamment. Elle rembourse leurs frais de déplacement et facilite leur enracinement. Célèbre géographe français, Onésime Reclus lui apporte le prestige de son nom après le passage en France du curé Antoine Labelle, qui s'assure de sa collaboration et recrute les sociétaires français assurant en partie le financement de cette société.

Peu à peu, les colonisateurs s'amènent. Ils prennent racine dans les éclaircies laissées par les hommes de chantiers. Tous mettent la main à la pioche, à la faucille et au râteau, à l'arrache-souche, à la herse à dents et à la charrue de bois destinée à déchirer et à bouleverser la glèbe. C'est ainsi que, de la fondation de Ville-Marie en 1886 (où les oblats déplacent en 1887 leur mission du Vieux-Fort) jusqu'en 1926, on assiste à la création d'une douzaine de villages, dont Saint-Bruno-de-Guigues, Lorrainville, Fabre, Béarn, Laverlochère, Fugèreville, Saint-Eugène-de-Guigues. Au nord de la rivière des Quinze, naissent Nédélec, Guérin, Notre-Dame-des-Quinze (aujourd'hui Notre-Dame-du-Nord) et, plus à l'est, Latulipe. Peuplé en 25 ans mais un peu exigu, le Témiscamingue est vite presque entièrement approprié et cultivé : en 1921, il compte un solide noyau de quelque 10 500 âmes et l'immigration y est dorénavant presque nulle.

Le prélèvement des ressources de la forêt et la colonisation agricole s'y organisent le plus souvent en symbiose, les cultivateurs alimentant les chantiers en foin, en avoine, en viande de boucherie, en beurre, en œufs et en légumes frais. Les mêmes terroirs nourrissent de leurs produits agricoles les sites miniers qui viennent de faire leur apparition dans le Témiscamingue ontarien, sur l'autre rive du lac. Cela étant, les uns ne voient pas sans irritation les autres dépouiller leurs domaines ; on se regarde volontiers en chiens de faïence. Démêlés et conflits d'intérêts ne sont pas sans mettre aux prises trafiquants de fourrures, Amérindiens, agriculteurs et forestiers, qui doivent apprendre à se partager un même territoire.

Périls et découvertes. Le Témiscamingue a longtemps parsemé de difficultés l'itinéraire de ceux qui tentaient d'y accéder par voie fluviale, la seule jadis accessible. Mais on n'attendra pas le forcement du goulot d'aval pour envahir cette contrée. Remonter la rivière des Outaouais jusqu'à l'embouchure du lac Témiscamingue demande alors 13 journées de pénible navigation et de portages. Du lac des Deux-Montagnes où s'achève son cours, puis dans la cataracte des Chaudières où elle précipite sa course à proximité d'Ottawa, on doit suivre ses tours et détours en passant d'un remous à l'autre par des portages harassants.

Les voyageurs qui ont placé la pince de leur canot en direction de l'amont doivent, de Mattawa au pied du lac Témiscamingue, remonter sur une distance de 80 km une rivière farouche encaissée dans des montagnes et coupée de rapides tumultueux. Ils doivent aussi affronter de périlleuses cascades et, par des portages, transporter à dos d'homme leur marchandise, suivre un chemin de halage en tirant leur embarcation à la cordelle au-delà des rapides du Long-Sault, reconnus pour l'élan de leurs cascades et la sauvage impétuosité de leurs eaux. À la naissance du lac Témiscamingue, leur canot peut enfin se laisser glisser dans des paysages figés de monts granitiques.

Les expéditions s'y révèlent parfois si hasardeuses qu'un missionnaire oblat, le père Pian, fils de batelier et ancien matelot le long des côtes bretonnes, promit un jour de célébrer trente messes de suite s'il en revenait sain et sauf. Or, c'est en chantant à pleine voix à bord de frêles embarcations chargées de ballots de pelleteries, en ramant au rythme de 40 coups de pagaie à la minute que les voyageurs de naguère ont descendu cette rivière en conquérants. Au pied du lac et à la tête du Long-Sault sera édifiée la ville de Témiscaming, où la forestière C.I.P. construira en 1917, à l'emplacement d'anciennes scieries, le long d'une pente, l'usine Kipawa. Consacrant la prépondérance du bois de pulpe, cette usine, qui fabriquera de la pâte de bois au sulfite blanchi destinée à la fabrication de la rayonne, pourra effectuer toutes ses opérations par gravité. La forestière Tembec y compte aujourd'hui quatre usines.

Ville-Marie, chef-lieu du Témiscamingue. Le site de Ville-Marie porte tour à tour le nom de Baie-d'en-Haut, de Baie-Kelly et de Baie-des-Pères. C'est le père Calixte Mourier qui suggère l'appellation de Ville-Marie pour la première ville du Témiscamingue, qui en deviendra le chef-lieu. Le Témiscamingue agricole se laisse donc découvrir dans cette anse de 4,8 km de profondeur que forme Ville-Marie, où la variété et une rare densité de menue végétation dénotent aux premiers arrivants une terre forte et remarquablement productive. D'un beau gris cendré teinté de bleu et de nature exclusivement argileuse, ce sol, riche d'un humus généreux qui incite à remuer la glèbe et à tenir les mancherons de la charrue, offre toutes les promesses de blondes et plantureuses moissons.

Ville-Marie est érigée en paroisse religieuse dès 1887. Le bois de charpente de ses premières habitations est coupé à même les domaines forestiers environnants, la brique faite d'argile du pays est cuite sur place dans d'énormes fours par des maîtres maçons et la pierre à chaux est arrachée aux dépôts de calcaire, abondants en ce coin de pays.

L'activité minière s'éveille autour de Colbalt en 1904. Reliée par bateau à Haileybury et à New Liskeard, Ville-Marie devient un centre actif d'exportation agricole. Des bateaux à vapeur y remorquent chalands et flottilles de canots. Le lac Témiscamingue portera jusqu'à 16 unités navales avant que la voie ferrée leur donne le coup de grâce. Vogueront sur ses eaux de gros bateaux munis de roues à aubes, tels le *Rat* et le *Beaver*, un beau navire d'acier tel le *Silverland*, des bateaux à vapeur tels le *Lady Minto*, l'*Alexandra*, le *Témiskaming*, l'*Argo* et, propriété de la Société de colonisation du Témiscamingue, le *Minerve* qui prendra ensuite le nom de *Météor*.

En plus de ces navires, dans la rade de Ville-Marie mouille la marine agricole du frère Moffet, constituée de grandes barges, véritables hangars flottants destinés à l'entreposage de produits agricoles, en attendant que les navires s'amarrent à quai et s'emparent de leur chargement. Cela, jusqu'à ce que le Canadien Pacifique pousse sa voie ferrée en plein Témiscamingue agricole, avec embranchement sur Ville-Marie en 1922, puis prolongement de la ligne jusqu'à Angliers en 1923, sur le lac des Quinze. En 1896, le transport par rail s'effectue déjà jusqu'au débouché aval du lac Témiscamingue, où le terminus est établi à Témiscaming.

UNE SOLITUDE BOISÉE. Vers l'Abitibi, région qui ne sera débloquée qu'à une date ultérieure, déjà pointent des incursions de plus en plus nombreuses. Revenant de mission, le père Poiré note, en 1839, la présence au poste Abitibi d'un beau champ de pommes de terre qui a donné, l'année antérieure, plus de 200 minots de tubercules. Mais cette région offre encore l'aspect d'une immense solitude boisée dont le trait dominant semble être l'aplanissement, héritage du stade final de quelque cycle d'érosion, d'où l'exceptionnel pullulement d'eaux stagnantes, de marais et de muskegs. S'y perdent en dilatations des rivières qui ne sont que chapelets de lacs avec leurs détours déconcertants. Un pur dédale liquide. L'eau, en effet, y est la dominante du paysage.

À la fin des années 1930, ayant à toutes fins utiles épuisé ses ressources forestières au Témiscamingue, la C.I.P. se lance à la conquête des forêts aux sources de la rivière des Outaouais, où elle cueille, autour des réservoirs Decelles et Dozois et du Grand lac Victoria, le bois qui assurera la survie de son usine de Témiscaming.

Apaisante harmonie de vert et de bleu, la rive québécoise du lac Témiscamingue est étale, comme l'illustrent ces champs reliant Ville-Marie à Fabre.

Un secteur
de Duhamel-Ouest,
dans sa beauté
champêtre.

Léger vallonnement au pied des collines Kekeko.

Pages 70-71 : La blondeur des foins et des feuillus peu après
la fenaison, aux approches de l'automne, entre La Corne et Amos.

Chevauchée matinale, entre Évain et Arntfield.

Pages 74-75 : Sous une somptueuse lumière déclinante,
les ondulations rougeoyantes des champs de Saint-Bruno-de-Guigues.

Dans le rang Hudon du secteur Mont-Brun, sous une lumière blonde et glacée, des vestiges d'une époque pas si lointaine.

Dans le brouillard matinal d'une exploitation agricole d'Évain.

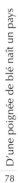

Entre Cléricy et Mont-Brun, des scènes champêtres
où l'abondance peut produire un effet de vagues démesurées.

Pages 80-81 : Percé de lointains îlots sombrement verdâtres,
fourmillant de fleurs empruntant à l'or leur éclat, un champ
de canola de Saint-Eugène-de-Guigues.

À l'heure de la fenaison, dans un champ de Beaudry.

D'une poignée de blé naît un pays

Route secondaire, entre Saint-Bruno et Saint-Eugène, dans le canton de Guigues.

Faisant vibrer l'air, une chevauchée fantastique
à l'intérieur des terres, dans le secteur d'Évain.

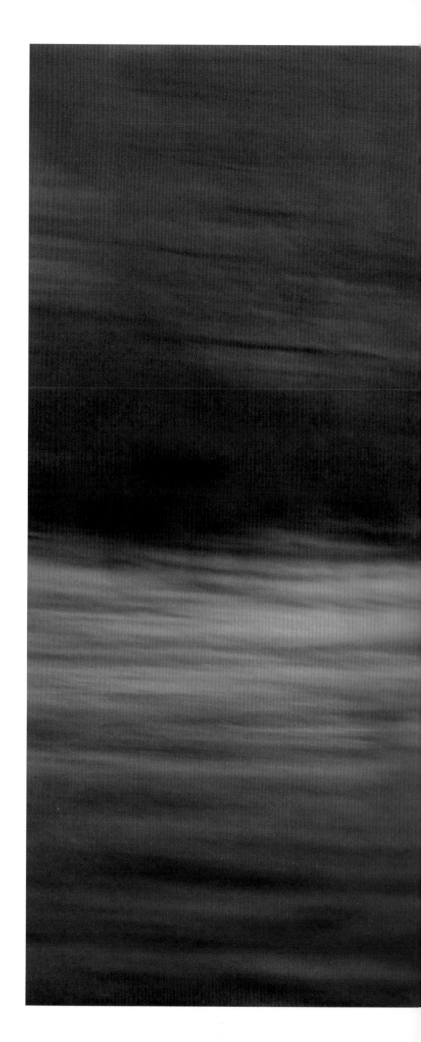

Pages 86-87 : Sous une lune fragile, à peine née, le soleil
déclinant arrache à la terre des teintes inusitées.

Dressée sur ses pattes arrière, une petite marmotte scrute
l'horizon soudain dégagé, en ce lendemain de moisson.

Iridescent, le soleil de Granada au-dessus de longues
tiges de molènes. Des plantes à fleurs montées en épi,
mieux connues sous l'appellation « tabac du diable ».

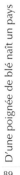

L'île Nepawa,
parcourue
d'un frisson matinal
et mise en flammes
par l'embrasement
des eaux
du lac Abitibi.

Sabots dans l'aube, mufle au vent.

Pages 92-93 : Comme le passage d'un navire plisse une nappe d'eau,
vaste paysage façonné par le vent, sur les terres planes entourant le lac Abitibi.

Vestiges de vie agricole, aux sources de la rivière Kinojévis.

Dans les solitudes
hivernales, le sol
est poudré de sucre
et quelques
bâtiments de
Mont-Brun
bravent l'immensité.

L'Abitibi, l'esprit de la frontière

FÉLIX-ANTOINE SAVARD, PRÊTRE COLONISATEUR. Dans son livre *L'Abatis*, Félix-Antoine Savard rend l'ultime hommage au pays abitibien : « Sans fin, roule cette plaine. Le beau mouvement de terre, harmonieux comme le balancement des épis d'automne ! Jamais Dieu ne fit à aucun peuple un aussi beau présent d'argile. »

En 1934, le célèbre auteur met sur pied une Société de colonisation dans Charlevoix. La même année, dans le cadre du plan Vautrin, il préside à la fondation de deux villages au nord de La Sarre, Beaucanton et Villebois, où il est prêtre colonisateur jusqu'en 1938. Il devait initialement mener ses ouailles vers le canton de Fournière, à proximité de Malartic, dont il rêvait de transformer le terroir hirsute en riante campagne. Or, au moment où le train qui les emmène en Abitibi s'ébranle à la gare du Palais de Québec, les colonisateurs sous son égide apprennent que ce n'est pas au cœur de l'Abitibi minière qu'ils sont menés, mais à des dizaines de kilomètres au nord de La Sarre. Loin de s'enfoncer dans le murmure de forêts verdoyantes, ils découvriront dans un silence de stupeur une végétation à maints endroits calcinée, parsemée de brins étiolés de verdure.

Leur fallait-il se consoler en espérant que les cendres des brûlis donnent le premier engrais qui fertilisera les labours ? Effarés, certains estiment avoir été odieusement bernés ; ils parlent de déserter, écrasés par l'ampleur des défis à relever. Par ses encouragements et sa détermination exemplaires, par son amour halluciné de la terre, l'abbé Savard sait galvaniser même les plus rétifs : il sauve la situation et les dirige tous vers ce sol, qui sera bientôt façonné de leurs mains.

UN BEAU CHAMP À COLONISER. À l'époque, sitôt le sifflet des locomotives se fait-il entendre, à peine le train fait-il son entrée en gare que, toujours, une petite foule est là pour accueillir les visiteurs. Chaque apparition de nouveaux colonisateurs est l'objet d'une fête. On allume des feux d'abatis pour les saluer au passage. Parfois même, par barques, des musiciens viennent à leur rencontre et leur donnent la sérénade. Le long de la voie

Pages 100-101 : À flanc de montagne, le Témiscamingue tel qu'il apparaît en bordure de la rivière des Outaouais, à la hauteur de Mattawa.

ferrée, on s'immobilise dans les champs au passage des « gros chars ». Une mélancolie poignante saisit alors le colon, qui s'élance à toute volée à la rencontre des convois, non sans un pincement au cœur, dans l'espoir de reconnaître par les fenêtres des trains des connaissances et, qui sait, des amis, de la parenté « d'en bas ». L'Abitibi naît dans une déchirante solitude.

Le retard qu'accuse le peuplement de l'Abitibi sur celui du Témiscamingue s'explique par une barrière géographique naturelle : la ligne de partage des eaux. Mais si l'Abitibi est plus étroitement bridée par le climat, sur le plan agricole, elle s'avère plus jeune, plus audacieuse, plus inspirée par l'esprit de la Frontière. Sans voie d'accès, son territoire demeure scellé jusqu'à ce qu'y pénètre le dernier des grands chemins de fer transcontinentaux nord-américains. Les explorations commencent en 1906, le piquetage se fait de 1907 à 1908, la construction du rail suit. C'est précisément en 1908 que le frère Moffet pousse ses explorations jusqu'à cette région où l'on vient de déterminer le tracé du futur chemin de fer. Traçant le premier chemin d'hiver vers l'Abitibi, hache à la main, Joseph Moffet fait office d'arpenteur et de guide forestier dans le but d'ouvrir, de Ville-Marie à l'emplacement actuel d'Amos, un chemin destiné au ravitaillement des ouvriers du Transcontinental.

De retour au Témiscamingue au terme de cette expédition, le frère Moffet s'empresse de rencontrer à Haileybury son évêque, Mgr Élie-Anicet Latulipe. « Il y a là, lui dit-il sur un ton prophétique, un beau champ à coloniser, de quoi faire tout un diocèse. » Visitant l'Abitibi en 1912, Mgr Latulipe fixe l'emplacement des futures églises. Gagnant l'emplacement d'Amos, il statue que l'église Sainte-Thérèse-d'Avila sera construite sur une élévation surplombant la rive est de l'Harricana, au nord du rail. En 1938, le pape Pie XI proclame Amos ville épiscopale du nouveau diocèse de même nom ; l'année suivante, Pie XII nomme le premier évêque, Mgr Joseph-Aldée Desmarais, un bâtisseur et un architecte dans l'âme.

EN TERRITOIRE AUTOCHTONE. Ruban de 180 km, le rail traverse l'Abitibi de La Reine à Senneterre en 1912, et la région est reliée à Québec l'année suivante, une fois que les deux tronçons sont aboutés à proximité de la rivière Mégiscane. Après avoir franchi maints ponts temporaires sur chevalets de bois, le premier convoi en provenance de Québec arrive en gare d'Amos le 29 avril 1914.

Bien que le Transcontinental National traverse les territoires de chasse des bandes du lac Abitibi et de Matagami, peu d'autochtones ont été engagés comme terrassiers ou ouvriers lors de la construction, si l'on excepte le fils du chef métis Louis Riel, Jean, employé comme simple manœuvre. Les autres ont, pour la plupart, été affectés au transport des provisions et des équipements destinés aux camps de construction, exerçant ainsi leurs habiletés de canotiers, de guides et d'empaqueteurs, le même boulot en somme que pour les commerçants de fourrure.

Le flot continu de nouveaux arrivants entraîne pour les autochtones un accroissement de la compétition dans la quête des pelleteries. Ils se plaignent de l'utilisation du poison par les trappeurs blancs. Lorsqu'en 1911

Grey Owl fait du piégeage au nord du lac Abitibi, il est fort mal accueilli. L'intrus s'éclipse alors pour s'éviter des ennuis. Le gibier se fait de plus en plus rare et imprévisible en raison de ces intrusions répétées. Les Amérindiens se voient ainsi contraints de redessiner leurs territoires de piégeage, d'autant que les Blancs ont tendance à tuer sans discernement, y compris les populations reproductrices, sans souci du maintien de l'espèce. On y puise le brochet comme s'il en pleuvait, il y en a même qui pêchent à la dynamite! Meilleurs intendants et gestionnaires responsables, de tout temps, les Amérindiens chassent, pêchent et piègent les animaux pour se nourrir, se vêtir et s'outiller.

Les premiers colons en sol abitibien. Les deux premiers colonisateurs abitibiens, les frères Ernest et Joseph Turcotte, quittent Saint-Rémi-d'Amherst en 1909 pour se faire embaucher à Harricanaw (ancienne appellation d'Amos) dans les chantiers du Transcontinental, avec le projet de «faire ensuite de la terre». Leur exemple est bientôt suivi. Le chemin de fer amène non seulement des colonisateurs, mais aussi des équipements aratoires, des semences et du bétail. Petit à petit, la hache élargit la trouée. L'activité est partout trépidante, de sorte que des premiers jardins apparaissent bientôt à travers les souches. Peuplant peu à peu les solitudes et domptant progressivement la nature, on s'élance dans un vaste mouvement d'accaparement d'une contrée toujours sauvage.

En 1912, par groupes entiers, on quitte le comté de Berthier pour La Reine, le comté de Champlain pour La Sarre, Sainte-Thècle pour Landrienne ou Saint-Basile pour Barraute. Des gens de Papineau, de Labelle, de Champlain et de Portneuf fondent et peuplent Amos, porte du Nord située au cœur de la vallée de l'Harricana. Berceau de l'Abitibi, elle devient chef-lieu de district, ville épiscopale à compter de 1939, centre judiciaire, administratif et pivot du mouvement coopératif abitibien. On arrive le plus souvent avec quelques hardes et biens meubles, des effets personnels, des outils et des animaux qu'une charrette suffit à contenir. On y décèle une grande frugalité de mœurs, mais le fait que la population soit clairsemée ne peut que rehausser la valeur de l'individu.

La Maria Chapdelaine de l'Abitibi. Au nombre des personnes dont la contribution au développement de l'Abitibi-Témiscamingue est d'une ampleur exceptionnelle, on ne saurait passer sous silence Alexina Croteau, veuve et mère de 15 enfants, dont cinq couples de jumeaux, qui se rend à Amos à l'été 1916. La ferme modèle qu'elle met sur pied devient si prospère qu'elle se voit remettre, le 19 août 1927, des mains du ministre de la Colonisation Joseph-Édouard Perrault, les insignes de l'Ordre du Mérite agricole, décerné pour la première fois à une femme.

La même année, lors d'une conférence donnée le 6 octobre à Montréal, le ministre Perrault l'honore du titre de Maria Chapdelaine de l'Abitibi. Il fait publier et diffuser le texte de sa conférence tant madame Croteau lui semble exemplaire. Le prix annuel décerné aux femmes les plus remarquables de l'Abitibi-Témiscamingue porte aujourd'hui le nom de cette grande dame.

UN CHAPELET DE PAROISSES. On connaît le programme lapidaire du curé Antoine Labelle : « Un prêtre, une église et puis des chemins. » Le Transcontinental National est d'ailleurs la réalisation d'un rêve caressé par le roi du Nord. Sorte de matrice, cette voie ferrée doit engendrer sur son parcours tout un chapelet de nouvelles paroisses. Au milieu de feux d'abatis où l'on jette pêle-mêle troncs et racines, la construction de l'église constitue très souvent la première activité communautaire. L'Abitibi, qui ne compte que 2063 habitants en 1911, voit sa population grimper à 13 172 âmes en 1921 et à plus de 22 300 âmes en 1931. Dans chaque village, au plus fort de la fenaison, alors que l'été fait peser son embrasement, le foin des vastes champs est dressé en meules.

Ainsi, 23 nouvelles localités font leur apparition le long du rail, le plus souvent à la croisée de rivières ou à proximité d'un lac. On relève trois grands pôles de peuplement : le lac Abitibi avec La Reine, La Sarre et Macamic à l'ouest ; l'est abitibien avec Barraute et Senneterre où expire la couche d'argile lacustre ; la rivière Harricana avec Amos et sa constellation de villages agricoles. En 1919, Amos compte 1750 habitants dont la plupart travaillent dans ses cinq scieries. Peu à peu, s'y établit aussi un secteur tertiaire : atelier de chaussures, meunerie, filature de laine et laboratoire médicamenteux de l'abbé Georges Bouillon, herboriste.

Le domaine agricole prend son expansion de part et d'autre de la voie ferrée ; on y entre en possession des terres par le recul lent et systématique des forêts. Contrairement au Témiscamingue, où les incursions des compagnies forestières ouvrent de larges trouées qui ajourent la masse forestière et donnent accès aux espaces ainsi dégagés, en Abitibi l'abattage des arbres devient un préalable à la conquête du sol. Ainsi, « le colon visant l'agriculture a le bois comme première récolte », selon l'heureuse formule de Raoul Blanchard.

On y est souvent vite plongé en d'amères réalités quand, en pleine besogne de défrichement, on doit ouvrir des terres dans des abatis, parmi les souches, en s'enfonçant dans une pâte de terre molle et collante. Les villages, durant cette période héroïque, sont souvent de simples éclaircies de quelques hectares en forêt. Pour traîner la charrue, les bœufs plus lents que les chevaux, ont cependant le pied plus sûr en terrain raboteux.

À quelque 5 km à l'ouest de Macamic, sur la rive ouest de la rivière Loïs, la première institutrice de Hatherly, en 1919, est une demoiselle de 13 ans, diplômée de l'école primaire. Les missionnaires font leur ministère à bord de draisines l'été, d'attelages à chiens l'hiver.

On fait son miel de toutes choses, on se débrouille. Un bœuf malade fait-il entendre des râlements ? Faute de vétérinaire, on lui applique des « mouches de moutarde » et, réchauffé, ragaillardi, le ruminant est vite remis sur pied. On se sert de « coton à fromage » comme moustiquaire ; on en recouvre les bers pour éviter que les essaims de maringouins ne dévorent les petits. C'est dire dans quelle pauvreté de moyens, dans quelle effervescence un peu brouillonne s'amorce l'histoire abitibienne. Des populations entières n'en continuent pas moins de s'ébranler le long de l'axe de la voie ferrée. Après le premier flot d'arrivants, la décennie 1921-1931 sera caractérisée par la consolidation.

Phare spirituel, le clocher de l'église de Lorrainville.

LA FORÊT MENAÇANTE. La forêt, qui est richesse de vie, peut aussi s'avérer un ennemi impitoyable. En Abitibi-Témiscamingue, la mémoire collective reste marquée par de tragiques incendies de forêt qui constituent d'immenses traumatismes. Trois d'entre eux, particulièrement dévastateurs, ont embrasé le nord-est ontarien tout près.

Le feu qui s'abat sur la ville minière de Porcupine, en 1911, entraîne dans la mort 73 personnes. Plusieurs sont asphyxiées dans les puits de mine où elles ont cherché refuge. Celui de Matheson, en 1916, fait périr 233 personnes. Le village de Nushka (Val-Gagné) disparaît avec presque tous ses habitants, réfugiés dans l'église; les quelques survivants amérindiens se chargeront de les mettre en terre. Quant à la grande conflagration du 5 octobre 1922 à Haileybury, qui fait 44 victimes, elle embrase la cathédrale, l'évêché, l'orphelinat et le couvent, en plus de 728 maisons dont « l'allée des millionnaires » surplombant le lac Témiscamingue. L'évêque de l'endroit, Mgr Élie-Anicet Latulipe, s'échappe des flammes avec en poche un petit traité sur l'humilité. Il en mourra de chagrin quelques mois plus tard. Après cette dernière dévastation qui alarme jusqu'à l'épouvante, il est décidé que la nouvelle église d'Amos, qui deviendra cathédrale en 1939, sera construite en béton armé pour parer à toute menace d'incendie.

Les plus vieux pionniers de Rouyn ont, pour leur part, longtemps tremblé à l'évocation du grand feu de 1927, alors que tout ce qui était en bois fut transformé en boîte d'allumettes. L'alerte était vive. Le jour, on n'y voyait rien à trois pas; la nuit, on regardait dans l'horreur les flammes déchirer les ténèbres, semant la peur panique sur leur passage. D'aucuns s'empressaient d'enterrer leur argenterie dans leur arrière-cour. Tandis qu'on creusait des pare-feu, on se passait la consigne: se munir de couvertures de laine et, si le feu s'approche, filer droit vers le lac, imbiber les couvertures et s'en couvrir le corps. Les vieillards et les malades devaient se rendre à l'église Saint-Michel, couverte de bardeaux protecteurs d'amiante, mais qui n'en sera pas moins emportée par les flammes le 12 avril 1973. Le cinéma, réputé « à l'épreuve du feu » et recouvert de « stucco », se consumera aussi vite que des branchages résineux; il explosera littéralement sous l'effet de la chaleur quand les flammes balaieront et rayeront de la carte le village minier de Pascalis, le 7 juillet 1944. Par contre, pour maints prospecteurs ces destructions par le feu auront du bon; elles leur permettront d'atteindre directement le roc dénudé, la mousse, les herbes et les arbres n'étant plus là pour s'interposer.

RETOUR À LA TERRE: GRANDEURS ET MISÈRES. La crise qui s'abat sur l'Amérique à la fin des années 1920 frappe de plein fouet les industries utilisant le bois et freine le développement des gisements miniers. Les agriculteurs ne trouvent plus preneurs pour leurs produits agricoles. Sans avoir épuisé leurs promesses, des mines ferment et des milliers de travailleurs reçoivent leur avis de licenciement. On observe un reflux de l'immigration et l'Abitibi-Témiscamingue perd des citoyens par milliers. Plusieurs abandonnent leurs terres et se dirigent vers les mines, à la recherche de stabilité. Mais c'est une crise d'où la région sort agrandie et fortifiée. Lasses de prêcher pour du vent, les élites tentent effectivement d'inverser des tendances lourdes en proposant, de 1932 à 1939, divers plans de colonisation: Gordon, Vautrin et Rogers-Auger.

Le Congrès de colonisation, convoqué par le ministre Irénée Vautrin les 17 et 18 octobre 1934 à Québec, donne naissance à une vaste croisade pour l'agriculture qui, à plus d'un égard, sera l'œuvre sociale de citadins. Afin d'atténuer un tant soit peu l'âpreté de la récession qui suit le krach de 1929, pour contrecarrer aussi l'exode en territoire américain ainsi que pour juguler le chômage et la misère des grandes villes, où les désœuvrés, trop nombreux, menacent la paix sociale, politiciens et ecclésiastiques proposent de concert le retour à la terre. Sérieux, le gouvernement Taschereau assortit son programme d'un budget de dix millions de dollars.

Ecclésiastiques et fonctionnaires rêvent de faire des terres en friche de l'Abitibi-Témiscamingue le jardin du Québec. Alors même que la région donne des signes de défaillance, plus de 40 nouvelles localités y sont créées durant cette décennie de colonisation dirigée. Dans le seul cadre du plan Vautrin, ce sont neuf établissements en Abitibi-Ouest, dont Clermont, Val-Saint-Gilles, Beaucanton, Villebois, Mancebourg. Sur la Haute-Kinojévis, on fonde Destor, Cléricy, Mont-Brun. Neuf autres sont créés en Abitibi-Est dont Berry, Preissac, La Corne, Vassan, La Morandière et Rochebaucourt. Au Témiscamingue, dont la population double, naissent onze nouvelles paroisses dont Rémigny, Bellecombe, Beauchastel, Joannès, Laforce. Et dans 13 villages déjà constitués, un ajout de quelque 630 familles vient augmenter la population. Pour la seule année 1937, 1400 maisons y sont construites. On arrive par groupes de sept ou huit familles, dès qu'une série de maisons est prête à les accueillir. Résultat : la population de l'Abitibi-Témiscamingue triple.

Le plan Vautrin impose ses maisons uniformes de 6 m sur 7,2 m, avec comble à pignon à pic, le tout construit et fini en « quatre par quatre » non plané. Au rez-de-chaussée, on pose six fenêtres à quatre carreaux et à l'étage, deux fenêtres jumelées à chaque bout. Une seule porte, placée du côté de la route. Une fois le colon installé, le bois vert se met à sécher, le calfeutrage se fait moins étanche et, souvent, s'affaisse, laissant percer par les fentes ajourées les rayons du soleil ou de la lune ; mais surtout, du solstice d'hiver à l'équinoxe du printemps, les tourmentes de neige, les vents d'hiver secs et coupants comme l'acier s'y infiltrent. Le papier goudronné et le bardeau de cèdre ne viendront que plus tard.

Confinés à des terres mal reconnues, à peine prospectées et souvent privées de chemin, certains connaissent les pires vicissitudes, après le déboisement et l'épierrage des champs. Sur des terres parfois infertiles, la vue de caps rocheux arrache des sanglots à maints nouveaux arrivants. Sans parler des maringouins surabondants à proximité du foin moite des grèves. Dans une récente colonie du Témiscamingue, les routes sont si vaseuses que les écoliers s'enfoncent et leurs bottes sont prises au piège. Certaines zones sont si glaiseuses que, faute de chapelle, le curé Léodas Leroux ne sort pas de son automobile quand il vient y entendre les confessions. Les pénitents s'agenouillent sur le marchepied du véhicule pour lui faire part de leurs péchés et exprimer leur contrition.

Ces temps d'énergie sombre sont quand même parfois illuminés de miracles qui rendent quelque peu l'espérance, comme ces énormes volées d'oiseaux en cours de migration, des perdrix bien dodues en provenance de la baie d'Hudson qui s'abattent sur les champs et que les colons s'empressent de percer de plombs.

Si c'est l'automne, la saison où le désir amoureux leur fait perdre toute prudence, les orignaux ont toutes les chances de finir en quartiers dans une glacière. C'est ainsi que la viande fait passer la sauce, avec une poêlée de champignons sauvages. Dans l'indigence, on se débrouille. Tout se fait à la main, l'existence s'en trouve d'autant régulée : il faut donner aux poussins leur gruau, nourrir les autres bêtes, sortir le fumier. À l'époque, la pêche au filet est licite ; tous les matins, on rapporte de pleines cuvées de brochets ou de dorés.

L'enthousiasme donne parfois lieu à des projets délirants, comme cette machine à carder la laine que le curé Louis-Philippe Corriveau achète à Saint-Charles-de-Bellechasse et fait installer dans la paroisse Saint-Raphaël, à Preissac, où il y a peut-être nombre de chiens barbets mais pas un seul mouton. Il n'en reste pas moins que les trois plans de colonisation ont assuré à l'Abitibi-Témiscamingue un surcroît de 25 000 âmes. L'ajout de 25 nouveaux villages y a amplement dilaté la proportion de territoire habité.

LA DÉSAFFECTION DES DÉSENCHANTÉS. La prospérité d'après-guerre entraîne de nouveau l'abandon graduel des terres. Ruches abruptement délaissées par l'essaim, des rangs entiers sont désertés. Des bâtiments abandonnés se disloquent sous la poussée des herbes. La végétation reprend ses droits. Un arbre a même poussé dans une maison ! Les deux tiers des nouveaux colons s'éclipsent, les autres s'enracinent. Finalement, bien peu avaient le défrichement dans le sang. Ceux qui, d'une nordicité sans compromis, savent ce qu'ils font en gagnant la région y trouvent leur ligne de vie et y restent. Pour les autres, le trait est tiré, le terroir ne parle plus à leur imagination. Nombreux sont ceux qui gagnent les agglomérations minières, alors en pleine expansion. Le travailleur minier devient privilégié : du moment qu'il dispose d'une carte attestant son lieu de travail il est solvable ; nul problème de crédit chez les commerçants.

Le mouvement de désaffection se poursuit et même s'accélère à la fin des années 1970. Le cinéaste et écrivain Pierre Perreault en rend compte de manière déchirante dans son documentaire au titre ironique, *Un Royaume vous attend*. Il y met en accusation les plans de colonisation et leurs promesses jamais tenues. Mal réveillés de leur triste enchantement, des villages désolés sont en voie de dépérissement. Mais un fait demeure : de ces dizaines de paroisses, aucune n'a tout à fait disparu, et cette volonté de ne pas céder du terrain se manifeste encore aujourd'hui. Cette contrée sans limites garde quelque chose de l'ultime frontière, de son effronterie et de sa détermination.

Qu'il s'agisse d'un choix délibéré ou d'un accident de l'histoire, les groupes ethniques choisissent de s'établir dans certaines collectivités et optent pour des emplois particuliers. Dans les camps miniers, on doit souvent répartir les ouvriers en divers dortoirs à cause des rivalités ethniques et politiques. Au milieu de populations flottantes, qui se renouvellent sans arrêt, la mobilité est de mise. À Val-d'Or, en 1950, il ne reste plus que 15 pour cent des pionniers de la première heure. Un véritable cauchemar pour les généalogistes !

VAL-D'OR MULTIETHNIQUE. Babel tant linguistique que spirituelle, Val-d'Or compte, au milieu du XXᵉ siècle, une vingtaine de confessions religieuses et maints ressortissants ukrainiens, serbo-croates, polonais, russes, finlandais, lituaniens, tchécoslovaques et bulgares. En 1938, le Club Gorki et le Club des travailleurs finlandais y ont leur troupe de théâtre, leur chorale et leur ensemble de mandolines. Les bolcheviks se regroupent au restaurant Chicago Delicatessen et fréquentent l'épicerie Lamaque Provisions. Des Ukrainiens et des Croates mettent sur pied des cours de danse folklorique, des dîners communautaires et fondent l'Orchestre des jeunes de Val-d'Or. D'ailleurs, le premier maire de la ville de Val-d'Or est Dmitri Chalykoff, un Bulgare de religion orthodoxe, tenancier de cinéma ; le courtier en assurances Edward Viney, le quatrième maire de Bourlamaque, est un Russe originaire de Saint-Pétersbourg.

Mais l'époque des travailleurs itinérants, sans feu ni lieu, n'a qu'un temps. Plusieurs de ces immigrants s'intègrent. Ainsi, lors de célébrations de la Saint-Jean-Baptiste, cheveux tressés en une couronne emmêlant rubans et fleurs, vêtues de leurs plus beaux atours traditionnels, des Valdoriennes d'origine ukrainienne paradent à bord de leur char allégorique. Des Ukrainiens costumés en cosaques, en blouses brodées et montés sur des chevaux, participent tout autant aux festivités.

C'est une constante, les pionniers étrangers apportent des technologies, des modes de vie et des attitudes nouvelles. Dans les arrière-cours du Vieux-Noranda et de la 4ᵉ Avenue à Val-d'Or, on rencontre encore aujourd'hui de ces immigrants soignant leurs potagers et leurs plates-bandes abondamment fleuries. À des époques et dans des circonstances bien différentes, d'autres se sont établis à Szeptyki en bordure du lac Castagnier, au nord de Barraute, où le père Josaphat Jean fonde, en 1925, une communauté agricole ruthène avec isbas, école, coopérative, bibliothèque aux murs tapissés d'ouvrages en caractères cyrilliques, monastère uniate et musée décoré d'icônes de la Ruthénie subcarpatique des XIIIᵉ et XIVᵉ siècles. En 1931, on ne compte plus que 52 Ruthènes à Szeptyki. En 1935, avec l'arrivée de nombreux Québécois dans le cadre du plan Vautrin, la localité adopte le nom de Lac-Castagnier.

LE CAMP DE SPIRIT LAKE. Autre cas plus douloureux celui-là, le camp de Spirit Lake à proximité d'Amos, l'un des 24 camps d'internement que le gouvernement fédéral fait construire au cours de la Première Guerre mondiale. La plupart de ses 1200 prisonniers sont des Ukrainiens récemment arrivés d'Autriche ou de Hongrie et qui, parce qu'ils n'ont pas encore de certificat de citoyenneté canadienne, en plus d'être originaires d'un pays avec lequel le Canada vient tout juste d'entrer en guerre, se voient imposer une incarcération punitive et des travaux forcés, à l'encontre et au mépris des conventions gouvernant l'internement des populations civiles en temps de guerre. Pris dans l'engrenage des camps, ces inoffensifs citoyens, qui, du reste, avaient été invités à venir s'établir au pays, sont traités en criminels et détenus au même titre que les véritables prisonniers de guerre, les réservistes ennemis ou les hommes pris une arme à la main.

On les contraint à construire des routes, à déblayer et à canaliser des terres, mais aussi à effectuer des travaux d'aménagement paysager aux abords de la résidence des officiers, alors qu'on néglige l'isolation de leurs baraquements ; mal abrités, ils gèlent autant des mains et des pieds que lorsqu'ils vont couper du bois en forêt pendant l'hiver. Les tentatives d'évasion, une cinquantaine en tout, sont donc fréquentes. Certaines finissent même de manière dramatique, comme celle du jeune Iwan Gregoraszczuk abattu d'une balle le long du rail, le 7 juin 1915. Un autre fugitif retrouvé mort en bordure de la rivière Kinojévis, en un lieu dénommé German-Point, fut sans doute porté en terre par un Amérindien respectueux, puisque son squelette exhumé a révélé qu'il avait été inhumé enrobé de l'écorce dont on avait dépouillé les bouleaux de la rive. Le camp de Spirit Lake ferme le 28 janvier 1917. Le site deviendra lieu de commémoration, le 16 juin 2001 ; la communauté ukrainienne y dévoilera une émouvante statue intitulée *Mère internée*.

DES CAMPS FORESTIERS AUX CONDITIONS PRÉCAIRES. Les forêts dominent les paysages de l'Abitibi comme elles dominent l'histoire économique de la région. Scieries et centres d'expédition du bois surgissent partout où la voie ferrée traverse une « rivière à drave ». C'est l'industrie forestière qui assure le décollage de l'Abitibi. Mais dans les années 1930, il est peu de villes aussi essentiellement forestières que Senneterre, qui voit passer chaque automne quelque 10 000 travailleurs en direction des camps forestiers du Plateau laurentien, à l'est. Ses six hôtels sont bondés à l'aller comme au retour pendant de nombreuses semaines.

Les conditions de vie dans les camps forestiers sont souvent précaires. Les moins de 17 ans et les plus de 55 ans, considérés comme des vieillards, sont rémunérés à moitié prix. De jeunes garçons y sont chargés des commissions ou du graissage de la salle des machines. Les mesures de sécurité sont minimales ; par exemple, les courroies peuvent agripper un pan de vêtement et entraîner la mort ou de graves mutilations. On a même vu d'énormes scies circulaires bondir de leur essieu et planer dans les airs.

Chaque camp forestier a son accordéoniste et sa mascotte, le plus souvent un bon gros chien. Entre camps, on se lance des défis pour savoir qui empilera la plus grosse charge de bois. Du coup, les coursiers piaffent, lancent des coups de tête. Si, dans certains chantiers forestiers, on est nourri comme à des noces, ce n'est certes pas le cas du dépôt forestier du lac Clérion, au sud-est de Rouyn, où éclate une grève en novembre 1933, pleine de turbulence au point qu'on arrive à faire lecture d'un acte d'émeute et que la police s'estime contrainte à utiliser des gaz. Les salaires y ont été coupés de moitié et les tables de la cafétéria ne gémissent pas sous le poids de mets de choix, c'est le moins que l'on puisse dire. Exécrable, la nourriture se résume au sempiternel plat de *bines* et à une seule viande : du gros lard taillé en briques et enfoui dans la saumure de barils de bois. On n'y vit pas sur la même planète que les éleveurs de volaille, si bien qu'un petit rigolo épinglera cet avis sur une porte du camp : « 50 $ de récompense sont offerts à celui qui trouvera une écaille d'œuf sur les limites de la C.I.P. »

DEUX GRÈVES MÉMORABLES. En l'espace de six mois, deux des plus importantes grèves de l'histoire ouvrière du Québec se déroulent dans la région de Rouyn-Noranda : la « grève des bûcherons de Rouyn », en novembre 1933 (dont on vient de parler), et la « grève des Fros », en juin 1934. La deuxième, qui se déroule à la mine Horne, laisse un goût amer. Elle entraîne l'expulsion de nombreux travailleurs étrangers et leur remplacement par des habitants ayant déserté les colonies de peuplement agricole. Certains syndicats miniers comptent à l'époque de nombreux immigrants héritiers d'une solide tradition ouvrière radicale, inclinant au socialisme.

FANFARONS, CES DRAVEURS ! Quand le bois est coupé loin en forêt, seul son transport par voie d'eau est économique. Avec la débâcle, lorsque le dégel du printemps libère les rivières, on procède au flottage et à la drave des billots, jusqu'aux scieries en aval où ils sont découpés en planches. Des billots emmêlés peuvent provoquer des embâcles dans les rapides, qu'on dégage à bras d'homme et parfois à la dynamite. C'est le monde des draveurs, parfois courageux jusqu'à la témérité, souvent fiers de leur adresse jusqu'à la vantardise. Jamais à court de prouesses, l'un prétendit même, après avoir jeté un pain de savon à l'eau, pouvoir regagner la rive en marchant sur les bulles !

À la fin du printemps, les draveurs portent parfois des moustiquaires sous leur chapeau pour se protéger des mouches noires, ce qui leur permet de mieux se concentrer sur leur dangereux travail. Réputés fanfarons, les draveurs ajoutent souvent foi à leurs fanfaronnades. On aurait même vu, dit-on, un draveur faire un pari avec un postillon : à partir de Saint-Laurent-de-Gallichan, lequel arriverait le premier à la paroisse voisine, Rapide-Danseur ? Ils se mettent en ligne – l'un debout sur un billot de la rivière Duparquet, l'autre assis sur son cheval sur la rive –, puis s'élancent dans la course en poussant un formidable cri de guerre. Il se faisait effectivement de la drave sur la rivière Duparquet, Rapide-Danseur constituant le dernier portage avant le poste de traite du lac Abitibi. On a du reste érigé à Rapide-Danseur la Statue des pitchers, du nom de ces bûcherons qui savent danser sur les billots drainés par les eaux des rivières et manœuvrer dans les courants, à leurs risques et périls.

LA RÉVOLUTION DU TRAVAIL EN FORÊT. Le moteur à explosion fait son apparition au cours des années 1940 et révolutionne presque tous les aspects du travail en forêt. Haches et scies manuelles disparaissent au profit de scies mécaniques, dont les premiers modèles sont si lourds que leur maniement nécessite l'appoint de deux hommes. Au milieu des années 1960, les chevaux sont remplacés par des débusqueuses. Les bûcherons font place aux opérateurs de scie mécanique, les charretiers et les draveurs aux chauffeurs et aux mécaniciens, et l'atelier d'outillage occupe l'espace autrefois réservé à la forge. L'utilisation d'engins d'abattage et de façonnage réduit un gros arbre en bois de pulpe en moins d'une minute, la débiteuse abat les arbres et charge les billes au moyen de son bras à pinces. La capacité de récolte accrue et l'abattage en toutes saisons risquent désormais de réduire à néant la ressource ; les forêts, depuis longtemps déjà, ne sont plus inépuisables.

Pages 112-113 : À -40 °C dans le ciel abitibien de janvier,
une lune évanescente se donne des airs fantomatiques.

La mécanisation outrancière, le lointain recul des zones de coupe, la création de plans d'aménagement du territoire, les nouvelles utilisations du bois et la récupération du papier, le concept de développement durable, l'expansion du mouvement écologique, favorisent l'émergence du concept d'usage multiple de la forêt. S'ensuivent des débats et des conflits entre forestiers des secteurs public et privé, communautés amérindiennes, chasseurs et pêcheurs, villégiateurs, biologistes de la faune et défenseurs de la nature.

À partir des années 1960, des Abitibiens se taillent de véritables petits empires dans le domaine du sciage, avec Normick-Perron et Howard-Bienvenu à La Sarre, le Groupe Barrette-Saucier à Comtois et le Groupe Forex à Val-d'Or. Aux scieries s'ajoutent bientôt des usines de contreplaqué, de panneaux gaufrés et de panneaux particules, aussi bien à La Sarre qu'à Val-d'Or. En 1973, l'usine de pâtes de Témiscaming, jugée peu rentable et qui a été fermée par la C.I.P., prend le nom de Tembec sous l'impulsion d'anciens cadres et de commerçants locaux qui relancent l'usine construite en 1917. Ils la modernisent et lui adjoignent bientôt deux usines ultramodernes : Temcell et Temboard. Avec ses 1300 employés, Tembec possède aujourd'hui six usines en Abitibi-Témiscamingue ; elle occupe une position stratégique dans les pâtes commerciales, les produits forestiers et les produits transformés. À compter de 1985, les résidus de bois de scieries et les copeaux de feuillus alimentent l'usine de pâtes et papiers Donohue-Normick d'Amos. La majorité des usines de sciage sont aujourd'hui la propriété des Industries Norbord, Abitibi Consolidated, Tembec, Domtar et Donohue.

L'AGRICULTURE EN EFFERVESCENCE. En 1950, l'Abitibi-Témiscamingue compte plus de 140 000 habitants, le plus beau succès de colonisation au Québec compte tenu de la jeunesse de son peuplement. Au nord de Senneterre, à la même date, 25 cantons sont classifiés et on y a des projets pour autant de nouvelles paroisses ; plus loin encore, on entrevoit la possibilité de 25 autres paroisses dans la région du lac Matagami. Or, c'est l'abandon plutôt que l'expansion du domaine agricole qui est bientôt la règle. Les panneaux « À vendre » prolifèrent.

Alors que l'activité agricole connaît une marginalisation accélérée dans les années 1960-1970, s'opère parallèlement une importante mutation dont résultent un regroupement de fermes et une farouche opposition à tout plan gouvernemental visant l'amenuisement du territoire agricole et la fermeture de villages de l'arrière-pays, dits « paroisses marginales ». La petite agriculture diversifiée, visant l'autosuffisance à la ferme, fait place à l'industrie agroalimentaire spécialisée et extensive.

On en arrive même à concevoir des pratiques culturales innovatrices, mieux adaptées aux contrastes climatiques, aux conditions de production propres au pré-Nord québécois. Aujourd'hui, si les productions laitières et céréalières prédominent au Témiscamingue, les cultures fourragères et l'élevage des bovins sont rois en Abitibi. Le Témiscamingue compte d'ailleurs les plus importants producteurs de pommes de terre du

Québec ; en Abitibi, les Serres coopératives de Guyenne, qui ont vu le jour en 1980 comme projet de relance d'un village sur le point de toucher son heure dernière, se classent parmi les toutes premières entreprises serricoles du Québec.

Une nouvelle agriculture prend aussi son envol, effervescente. Foulant les lupins le long des routes de campagne, là où les terres ont été laissées à l'abandon, un promeneur peut aujourd'hui voir s'étendre de vastes champs de luzerne et d'orge. À cela s'ajoutent de nouvelles techniques culturales, ingénieuses, telles les silos-meules ou les étables froides, faisant de l'Abitibi-Témiscamingue un chef de file reconnu dans tous les pays nordiques qui tentent de vivre des ressources de la terre. Particularisme du paysage agricole témiscamien, où les exploitations rurales respirent la prospérité : les granges doubles peintes avec soin, l'une pour les vaches laitières, l'autre pour les animaux de boucherie.

On trouve aussi des singularités comme l'élevage de daims à La Morandière, de cerfs rouges à Vassan, de chèvres à Montbeillard, sans oublier celui des bisons et des sangliers à Guigues, des autruches à Saint-Mathieu, ou encore la culture de truites de consommation ou de corégones. On y trouve également des cultures hors normes, telle cette plantation de cassissiers à Roquemaure avec ses belles grappes de baies noires, et ce vignoble du Domaine des Ducs sur l'île du Collège à Duhamel-Ouest, le plus septentrional de tout l'est du Canada. Sans oublier les douceurs du terroir : la chocolaterie de Ville-Marie, les confitures et les coulis de Clerval, le miel brut de Berry, le miel de bleuet et le miel de fleurs sauvages de Guigues.

La cuisine typiquement régionale peut de plus en plus s'affirmer. D'un raffinement exquis, sa réputation ne cesse de s'étendre. Dégustations, repas gastronomiques, ateliers de cuisine, chaque été en août les gourmets se donnent rendez-vous à la Foire gourmande de l'Abitibi-Témiscamingue, à Ville-Marie.

Paysage abitibien
enflammé par
le déclin solaire.

Pages 118-119 :
Des fougères
d'une telle
surabondance
qu'en été, la forêt
à proximité
du marais Laperrière
en devient
presque tropicale !

Au bout des doigts, une petite chouette lors
d'une opération de baguage de nyctalopes.

Surabondants, les kalmias transforment en jardin
le sous-bois de cette pinède, dans les chemins forestiers
de Duparquet.

À y regarder de près, rien ne semble plus contrasté que le bouleau et le pin.

Le verdâtre extrême, impénétrable, au-delà
des berges de la rivière Dumoine.

Là où s'arrêtent, au milieu de milliers de leurs semblables,
quelques papillons glauques du Canada.

Une mince rivière, chuchotant à peine, serpente
au travers de la Réserve faunique La Vérendrye.

L'Abitibi dans toute sa diversité végétale et sa vaste
gamme de coloris: fruits de cornouiller, moutarde
sauvage, feuille d'érable rouge, lédon du Groenland.

Solidement dressée, une érablière de la région d'Opémican,
qui porta jadis le nom de Moulin-Latour.

Pages 128-129: On croit entendre le sauvage grondement des eaux du ruisseau Gordon,
sur les bords duquel fut construite, en 1888, la première scierie d'importance au Témiscamingue.

Dans le secteur du canyon de la Grande Chute, un front rebondi,
un nez camus, peuvent apparaître.

Le claquement dru des eaux de la rivière Dumoine,
là où elle s'avère la plus impétueuse.

Pages 132-133 : Ruisseau dévalant le mont Kekeko,
lorsque la neige croûtée se fait collante.

D'un étagement du roc à l'autre, la même chute
fait divers plongeons.

Là où les grandes chutes de la rivière Kipawa accèdent
aux réceptacles baptisés « marmites ».

Non loin de Laniel, à la décharge du lac Kipawa.

Au lever du jour, quand le soleil éclaire à mi-paysage le resserrement des eaux, là où le lac Témiscamingue redevient la rivière des Outaouais.

Pages 138-139 : Givrée, du tronc au faîte, la forêt entourant la colline Cheminis.

Plus blanche que l'hermine, la route d'accès au pont de Saint-Bruno-de-Guigues.

Pages 140-141 : Passerelle suspendue au-dessus du lac La Haie, dans le Parc national d'Aiguebelle.

Le pont couvert enjambant hardiment la rivière à la Loutre.

Dans un paysage
de démesure,
à l'extrémité
du lac La Haie,
un camp rustique
à flanc de montagne.

Un matin de givre, fragile, alors que le moindre souffle de vent suffit à faire éclater le cristal des arbres.

Scène hivernale embrassant un vaste panorama,
captée à partir de la colline Cheminis.

Les collines D'Alembert, à la tête des eaux, là où des lacs juxtaposés s'écoulent soit vers le bassin-versant du Saint-Laurent, au sud, soit vers celui de la baie James, au nord.

Pages 148-149 : Paysage de l'Australie ou de l'Utah ?
À la frontière du Québec et de l'Ontario, la colline Cheminis transformée en un intense brasier. La forme singulière qu'adopte cet amas rocheux lui a valu les noms de mont Chaudron et de Vieux-Chaudron.

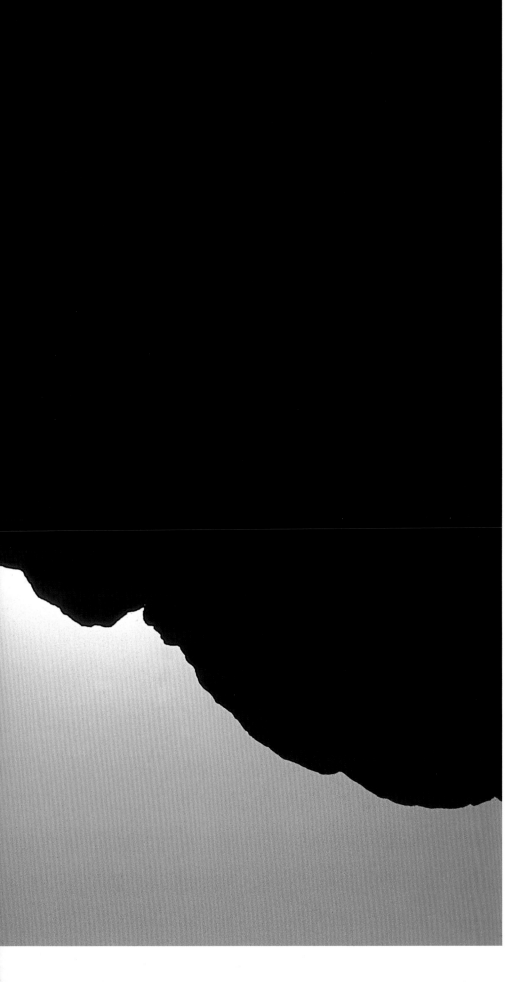

Pages 150-151 : Lancée de cordage dans les hauteurs,
sur un des sommets rocheux des collines Kekeko,
s'avançant comme la sculpture de proue
d'un grand navire pierreux échoué en pleine forêt.

Au terme du sentier des remparts, escalade
d'une colline dominant le lac Beauchastel.

Pages 154-155 : Enflammés par
le soleil naissant, rocs et conifères
enneigés se dénudent aux flancs
des collines Kekeko.

La transition entre les saisons impose ses colorations, ses nuances et ses textures, dans cette pinède de la région de Duparquet.

L'Abitibi, l'esprit de la frontière

Belle variété d'essences résineuses : pin, sapin, épinette noire et pin blanc.

Les derniers rayons du soleil s'accrochent aux cèdres torturés
de la Forêt enchantée, au Témiscamingue.

D'un blanc de cire, le monotrope uniflore fait son apparition
à la fin de l'été, et les champignons fructifient plus abondamment
dans la forêt boréale que dans les zones feuillues.

L'automne euphorique, quand les feuilles jonchant
le sol illuminent jusqu'au rougeoiement.

Pages 162-163 : L'automne couvre d'or la forêt entourant le lac Fortune, précisément
à l'endroit où l'on fit la première découverte d'or en Abitibi-Témiscamingue, en 1906.

Emmêlées à la toundra, là où la végétation s'amenuise, les épinettes chétives du nord de l'Abitibi.

Pages 164-165 : Les eaux paisibles de la rivière Kinojévis, embrumées par l'air glacial, dans une lumière si radieuse qu'elle transforme tout en aquarelle.

Telle une coulée de laves, un ciel de braise au-dessus des forêts boréales.

Derrière des amoncellements de sciures, dans le parc industriel de Val-d'Or,
l'usine de la compagnie Uniboard.

Pages 168-169 : À l'aurore, au milieu d'étincellements, des vapeurs d'eau
se dégagent du complexe forestier de la compagnie Tembec, à Témiscaming.

Sous une lune amaigrie, à 3 heures du matin, les réserves de bois de l'usine de fabrication de panneaux particules Uniboard de Val-d'Or.

Des coulées d'or et de cuivre

UNE RÉGION COSMOPOLITE. Grand reporter du journal *Le Devoir,* Émile Benoist fit remarquer, dans un article reproduit par *La Gazette du Nord* d'Amos (édition du 5 novembre 1926), que dès leur apparition, Rouyn et Noranda formaient une agglomération si cosmopolite « qu'on y rencontrait des Mexicains, des sujets de la reine Marie de Roumanie, des Autrichiens, des Allemands, des Galiciens, des Italiens, des Polonais, des Russes de toutes les Russies, des Américains de tous les États, des Britanniques de toutes les races, et même des Asiatiques, d'authentiques Chinois ». C'était sans compter une famille « de la race vagabonde des bohémiens », installée à l'hôtel Mars avec ses diseuses de bonne aventure aux oreilles percées d'anneaux et aux longues jupes bigarrées.

À l'époque, cette confluence des populations s'observe partout où naît un nouveau camp minier abitibien. La région se retrouve alors sous influences diverses de Val-d'Or à Duparquet, en passant par Malartic, Normétal, Cadillac et Perron, où l'on rencontre même un commerçant du nom de Rothschild. De cette pluralité découlent un surcroît d'intérêt pour autrui, la recherche de points de contact, l'éveil de la tolérance.

Dès leur apparition, Rouyn et Val-d'Or se dotent de journaux. Lors de la célèbre « parade des cantons » tenue à Amos en 1938, Val-d'Or, qui n'a vu le jour que depuis trois ans, est représentée par un char allégorique surmonté d'un atelier d'imprimerie, symbole par excellence du libre exercice de la pensée, de la liberté d'expression et du jugement.

En mars 1939, à la Cour de Rouyn, foin du serment officiel sur la sainte Bible, un Chinois, appelé à témoigner lors d'une enquête préliminaire, étonne par la façon dont les disciples de Confucius prêtent serment. Il exige qu'on écrive son nom sur une feuille de papier qui sera ensuite enflammée ; le témoin affirme alors que s'il ne dit pas la vérité, son âme brûlera à la manière de cette feuille.

Salariés de la mine Perron et hockeyeurs dans la ligue Harricana, les frères Ossie et Herbert Carnegie sont aussi parmi les tout premiers Noirs à jouer au hockey dans une ligue senior du Canada.

Pages 174-175 : En bordure du lac Osisko, la ville de Rouyn-Noranda,
apaisée par la nuit, illuminée de ses derniers feux.

Depuis le site de la Maison Dumulon, un veilleur de nuit:
le Centre hospitalier Rouyn-Noranda.

Le calme acoustique des villes feutrées en hiver. Aux abords
de la fonderie Horne, le quartier Notre-Dame dans le Vieux-Noranda.

La buanderie chinoise avoisine la boutique syrienne, le sauna finlandais se dissimule derrière le *delicatessen* yougoslave, la boulangerie-pâtisserie française jouxte la mercerie juive. Mais l'offre ne s'ajuste pas toujours à la demande, comme le découvrira L.-R. Saunders, poissonnier de la Nouvelle-Écosse. Ne parvenant pas à écouler sa morue et son flétan d'importation, vexé et roulant peut-être des yeux de merlan frit, il dénoncera comme poisson de contrebande la fraîche truite des lacs que l'on sert dans les meilleurs restaurants de Rouyn.

UN LIEU OÙ TOURNER LA PAGE. Chaque front minier nouveau est l'occasion de faire de belles conquêtes. Les vieux prospecteurs qui l'ont amadouée ont tous quelque chose d'un peu mythique…

Nous voilà de plain-pied dans ce nouveau monde qui a tant fait rêver les désenchantés de l'ancien. À l'époque, l'Abitibi fait pleinement courir l'imagination. C'est sans aucun doute l'une des seules régions du Québec à réaliser en quelque sorte le rêve américain fondamental : un lieu où tourner la page, laisser derrière soi ses amertumes, ses manies de tout ressasser et ses ressentiments, pour tout recommencer sans amarres, changer d'apparence s'il le faut, disparaître et réapparaître ailleurs en étant quelqu'un d'autre, au point de changer parfois de nom en changeant de pays, comme ce sera le cas de trois remarquables prospecteurs et promoteurs miniers de la région de Val-d'Or. Ayant jeté pioche et pelle sur leur épaule, Mike Mitto, Fred Henry et Stanley Siscoe courront tous trois après l'insaisissable poussière d'or.

Danseur de troupe folklorique d'origine géorgienne, Mike Mitto passe par le Yukon et Flin Flon, au Manitoba, avant de rebondir dans l'Abitibi des temps pionniers où il se défait de son nom, Nestor Metrovilli. Sa photo a figuré dans la réclame d'un grand distillateur de whisky, dont la publicité a couru le vaste monde, jusqu'au pays du Siam, paraît-il. Lors d'un séjour à Val-d'Or en 1945 à titre de reporter, Gabrielle Roy dresse de lui un portrait saisissant dans un article intitulé : « Dans la Vallée de l'or. »

Irrigué de sang bleu et rallié à la république de Weimar, Fred Henry est en fait le baron allemand Friedrich Otto Karl von Heinrich und Heinrickosen. Il doit vendre son titre nobiliaire à un autre prospecteur pour arriver à faire soigner l'une de ses filles atteinte de tuberculose. Mort dans l'indigence, sa pierre tombale dans le cimetière protestant de Val-d'Or ne retiendra que son dérisoire nom d'emprunt.

LE MYSTÈRE SISCOE. Le troisième de ces fameux étrangers, Stanley Siscoe, de son vrai nom Stanislawen Szyska, semble avoir été le jouet d'un destin éclatant et contraire. Il a connu une fin si dramatique qu'elle a donné prise à la légende, au point que la photo de son corps mordu par le frimas, gisant sur les glaces d'un vaste lac, fut tirée en carte postale.

En 1914, ce prospecteur d'origine polonaise participe à l'exploration d'une île du canton de Dubuisson. Lors de la dernière nuit de son séjour, il voit en songe, débordante d'or, l'île que son équipe s'apprête à quitter faute d'indices prometteurs. Sitôt après, Siscoe se porte acquéreur des parts de ses associés et réunit une équipe de compatriotes pour pousser plus à fond l'exploration de la plus grosse île du lac De Montigny qui, bientôt, dévoile ses immenses richesses. Cette île portera désormais son nom tout en faisant de lui un millionnaire.

En mars 1935, alors qu'il revient de Saint-Hubert en avion, une forte tempête de neige contraint son pilote à effectuer un amerrissage d'urgence sur le lac Matchi-Manitou. Ils y attendent du secours pendant deux jours. Affamé, transi de froid, trop légèrement vêtu, Siscoe s'entête à marcher seul vers le sud-ouest, en direction de Val-d'Or, puis, inopinément, il revient sur ses pas. Mal lui en prend : on retrouvera l'industriel minier mort de froid le lendemain, couché sur le dos dans la neige, des billets de banque éparpillés autour de lui, des liasses lancées en l'air dans un ultime geste de désespérance pathétique, raconte-t-on. Énigmatiques, deux photos, prises sous le même angle, rendent compte de la scène : l'une sans traces de billets ; l'autre, à qui il ne manque que d'être vraie, avec des billets entourant le corps du désespéré. Il n'en faut pas plus pour que s'étende la rumeur d'un pillage de cadavre et que s'épaississe le mystère autour de ce drame qui inspirera à Daniel Saint-Germain un récit d'une prenante beauté : *Sept jours dans la vie de Stanley Siscoe.*

À LA RECHERCHE DE MÉTAUX PRÉCIEUX. Aucune découverte d'importance n'ayant été faite après la Grande Guerre dans le nord-est de l'Ontario, nombre d'aventuriers et de prospecteurs se tournent ensuite vers l'est, par-delà la frontière québécoise. Les Ontariens ont l'avantage de l'antériorité ; ce sont eux qui, avec boussole, loupe et pic, l'essentiel du prospecteur, marchent sur la ligne de front. Ils sont les premiers à suivre les levés du ministère des Mines du Québec et à quadriller le territoire abitibien, attirés par les similitudes géologiques entre cette région et leur province d'origine. 1910, 1911, 1912, coup sur coup, les découvertes minières se succèdent : John Bettie, dans le canton de Duparquet ; Hertel Authier et James O'Sullivan, en bordure du lac De Montigny ; Stanley Siscoe, sur l'île qui portera son nom.

Deux prospecteurs d'origine française établis à Ville-Marie, Auguste Renault et Alphonse Ollier, amorcent le mouvement en 1906 par la mise au jour d'une veine d'or dans le canton de Beauchastel, sur les rives d'une nappe d'eau qu'ils baptisent lac Fortune. Il s'agit de la toute première des découvertes d'or qui vont se faire de part et d'autre d'un axe symétrique, aux abords d'une zone de dislocation qui va de la mine Francoeur, aux abords du lac Opasatica, et se termine à la mine Croinor, à l'est de Louvicourt ; une bande de minéralisation intense distante de quelque 170 km. Cette traînée métallique, les géologues l'ont nommée « faille de Cadillac », du nom du canton où fut découverte cette singulière structure géologique dans laquelle sine la ligne de partage des eaux. Ardemment prospectée, cette zone, objet d'un nombre considérable de travaux géologiques, s'allonge au contact des territoires agricoles du Témiscamingue et de l'Abitibi, sans empiéter sur eux.

Le vieux Témiscamingue, dont l'expansion est terminée, est occupé jusqu'aux limites des infertiles roches précambriennes. Il compte, en 1930, une population de 29 609 habitants. Jusqu'à ce jour, il n'a fait l'objet que d'une seule découverte minière, sans aucun doute la première de toute l'histoire canadienne, au nord de la baie Joannès et en bordure du lac Témiscamingue. On se rappelle que lors de son expédition à la baie d'Hudson, le chevalier de Troyes a été mis en contact avec un guide métis dénommé Coignac, qui l'a mené sur le site. De Troyes a rapporté le fait dans son Journal d'expédition en date du 23 mai 1686. Le gouverneur de Denonville charge ensuite l'officier Henri de Tonty de pousser plus à fond l'exploration de cette « mine de plomb et d'étain, provenant d'une montagne pelée ». De Tonty se rend sur le site et en ramène un mémoire précisant que « ce métal est d'un beau jaune et très dur, et l'on ne doute pas que cette mine est considérable ».

Premier gisement de galène exploité sur le continent américain, la mine redécouverte en 1850 est mise en production sporadiquement de 1885 à 1952, sous le nom de mine Wright. On y expérimente, en 1889, la première foreuse à air au Canada. Autre excroissance témiscamienne, autre anomalie par rapport à la faille de Cadillac : en 1934, William Loken trouve dans le canton de Guillet, près du lac aux Sables, le gisement d'or de Belleterre.

Le canton de Rouyn, dans le haut Témiscamingue, voit, dès l'amorce des années 1920, plusieurs de ses concessions minières s'échanger à des prix exorbitants. En 1922, l'une d'elles change de maître moyennant 200 000 $, dont 20 000 $ payés comptant, mais le socle sur lequel repose alors l'activité minière est encore incertain. Masses, fleurets et chignoles à la main, on fore un trou de mine, on en extrait à l'aide de brouettes le minerai que l'on trie ensuite sur place. Pour la plupart construits en bois et recouverts de papier goudronné décoloré, les chétifs chevalements témoignent de la précarité des nombreuses sociétés minières qui s'activent alors en Abitibi. Tours construites au-dessus de puits miniers, parties émergées de vastes ascenseurs, ces chevalements prendront peu à peu des allures de tourelles, blancs donjons dominant le paysage sitôt qu'une mine s'avérera économique.

C'est l'époque où les forêts de l'Abitibi résonnent sous le pas de plus de 500 prospecteurs frénétiques, poussant leurs explorations avec un désir gourmand. Ils ont des ailes aux pieds et la fièvre les brûle, même en hiver dans un froid de confins. Entre les troncs zébrés des bouleaux, ils vont raquettes aux pieds, pic et pelle à la main et havresac bourré d'échantillons en bandoulière. L'épaisseur du tapis de neige ne semble pas les essouffler. On en voit même qui sortent la nuit, poursuivant leurs explorations au milieu des hiboux et des ratons laveurs.

C'est déjà un pays qui fait rêver, où il peut sembler que même celui qui a tendance à se lever du mauvais pied ne peut que tirer son épingle du jeu. Mais l'argent change vite de poche. Tous ont en mémoire Benny Hollinger, ce barbier qui aurait pu laver sa Rolls-Royce au champagne. Devenu prospecteur, il voit la fortune lui sourire de toutes ses dents, si bien qu'il donnera son nom à la mine la plus considérable du Canada. Discrets, les maîtres de l'industrie minière ne font pas leur cuisine dans les journaux mais, comme sous le souffle d'une explosion, rien ne file plus vite qu'une rumeur.

La plupart des chantiers miniers naissants ne sont accessibles que par une simple ligne d'arpentage étroite et broussailleuse. Faute de route ou de piste forestière, l'été, des chemins de roulage sont construits dans les zones marécageuses (on dispose des rondins en travers pour former une chaussée); des *pole tracks* (ces rails en bois sur lesquels filent des camions roulant sur jantes) s'offrent parfois comme seule voie de pénétration. L'hiver, on accède aux sites convoités grâce à des cométiques tirés par des chiens, ou à bord de véhicules à chenilles équipés de skis, de cabouses sur patins remorquées par tracteur et chauffées par un petit poêle de fonte relié à un tuyau de cheminée.

LE FILON ROUGE D'EDMUND HORNE. Prospecteur isolé, Edmund Horne parcourt depuis 12 ans le lac des Quinze, la rivière des Outaouais, le lac De Montigny et, dans la vallée de la Kinojévis, la rive nord du lac Osisko, précisément à l'endroit où il repère d'importantes minéralisations. Au cours de son cinquième séjour, en 1923, il y rencontre une végétation délabrée, des hectares de forêts renversées par un ouragan qui a laissé le roc presque à nu. De son pic, il gratte sous une légère mousse et découvre un métal brillant: de la chalcopyrite — du cuivre d'une grande pureté avec un peu d'argent et d'or. Horne vient de mettre au jour la mine qui portera son nom. Alors que dans la plupart des gisements abitibiens le minerai forme des amas disséminés comme des raisins secs dans un gâteau, le prospecteur Horne a affaire ici à un filon propulseur aux conséquences ramifiantes, où le cuivre est si pur qu'il en est rouge. Un dépôt hallucinant qui exercera une attraction touchant au vertige, à faire pâlir les mines d'Ophir du roi Salomon.

Horne s'en trouve d'abord quelque peu dépité, semble-t-il, car il escomptait trouver essentiellement de l'or, et il n'est pas sans savoir que la mise en valeur d'un champ cuprifère requiert des capitaux autrement plus considérables qu'un simple dépôt aurifère. Le syndicat minier new-yorkais Thompson-Chadbourne acquiert deux ans plus tard les terrains de Horne et fonde la société Noranda Mines Ltd. La publication du premier rapport annuel de la société révèle des réserves évaluées à 7 500 000 $.

C'est alors que s'amorce irrésistiblement la ruée minière de Rouyn. Une véritable effloraison. L'Abitibi est sitôt saisie d'une frénésie d'exploration et de spéculation boursière sans précédent. L'une des dernières ruées de style Far West. Un tournant, un admirable sursaut, un changement d'échelle, une volte où toutes les similitudes, tous les rapports sont faussés. Un phénomène sans exemple dans l'histoire minière du Québec et qui fera l'étonnement du pays entier.

LA DÉCOUVERTE QUI FERA SURSAUTER. À la même époque, des habitants de Taschereau qui ont fait du canton de Rouyn leur territoire de chasse, sont de moins en moins étonnés de découvrir des campeurs dispersés en bordure des lacs et des rivières. Rapidement, ils apprennent que ces arrivants sont des prospecteurs ontariens venus de Larder Lake et de Colbalt et que la recherche de l'or et du cuivre va désormais se substituer à la chasse

Pages 182-183 : Vapeurs d'eau s'échappant des cuves de métaux
en fusion à la fonderie Horne, par temps glacial, à -37 °C.

Cuivre coulé sous forme d'anodes, à la fonderie Horne de Noranda.

Des coulées d'or et de cuivre

L'allée des convertisseurs de la fonderie Horne.

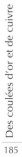

au castor. Ainsi, se laissant prendre à l'amorce des rumeurs, espérant effectuer la découverte qui fera sursauter, maints rôdeurs en forêt qui s'étaient réveillés trappeurs le matin, négligent renards et rats musqués pour s'endormir prospecteurs la nuit venue… jusqu'à ce que les mouches noires les chassent du bois.

On rêve par communautés entières à cet or qui semble donner un plaisir ne prêtant à aucune substitution. On s'attaque d'abord aux affleurements dénudés, aux croupes rocheuses les mieux récurées. Un vieux prospecteur s'étant vu offrir plus de 100 000 $ pour « sa montagne » décline l'offre avec un mouvement de dédain et, heureux dans son campement en bois rond, il attend que la fortune affleure tout droit de son rocher, comme par rayonnement enchanteur. Certains ont des ambitions autrement plus effrénées. Ainsi, on raconte qu'un prospecteur trouva un jour un poteau sur les rives du lac Osisko portant ces simples mots : « Je réclame tout le terrain dans un rayon de dix milles de ce poteau. » C'était signé Bob Gamble. Il y eut également, omniprésente, la foisonnante famille McDonough, originaire de Swastika. Selon la rumeur, chaque fois qu'un tas de branches était remué, un McDonough en tombait illico.

UN NOUVEAU FRONT PIONNIER. Depuis la fin du XIXe siècle, l'ère de l'électricité suscite une énorme demande de cuivre, et ce qu'on constate de la teneur et de l'ampleur du gisement Horne détermine une nouvelle et puissante poussée d'exploration. En plus de produire l'onde de choc décisive qui va faire de l'Abitibi l'un des fronts pionniers les plus dynamiques de l'Amérique du Nord, les découvertes du prospecteur originaire de l'île Madame, en Nouvelle-Écosse, ont pour effet de remonter les ressorts détendus, de stimuler l'essor des mines du haut de l'Harricana, soit la région de Val-d'Or, qui avait peine à ouvrir ses ailes et à prendre pleinement son envol.

Avec la ruée de Rouyn, on n'a rien de plus pressé à faire que de prendre sa course, de percer des routes, de lancer des rails pour accéder à ce nouvel eldorado et y acheminer rapidement de l'outillage. À partir de Macamic, on s'active fébrilement à l'ouverture d'une route en direction de Noranda, contournant le canton de Destor qui, dans sa partie centrale, n'est qu'un enchevêtrement de hautes élévations rocheuses aux parois abruptes. Parallèlement, 300 hommes et 150 chevaux travaillent au tronçon de chemin de fer reliant Taschereau à Noranda.

Assez étrangement, c'est le village de Villemontel qui est alors la porte d'entrée par excellence du nouveau district minier. À partir de sa gare le long du Transcontinental National, une route de 19,2 km donne un accès direct aux rivières Villemontel et Kinojévis, sur la ligne de faîte. Un trajet de six heures, compte tenu des quatre courts portages. En 1926, un dénommé Veillette, garde-feu sur la Kinojévis, dénombre en quatre mois plus de 1100 canots transportant 1875 prospecteurs et autres voyageurs, chacun espérant sans doute transfigurer le sol qu'il va bientôt fouler dans le Klondike québécois. Ville-Marie ne veut pas être en reste. On y met sur pied une compagnie de navigation faisant la navette entre la baie Gillies, sur le lac des Quinze, et le canton de Rouyn, avec portage au rapide de l'Esturgeon sur la rivière des Outaouais, le reste du parcours se faisant au fil de la Kinojévis.

Les journaux de l'époque annoncent que ce trajet ne prend que 12 heures, à condition que les cours d'eau soient libres de glace. À compter du 18 mai 1924, coup d'accélérateur : on fait le trajet en 50 minutes à bord d'un Viking amphibie ; la Laurentide Air Service offre ainsi un service aérien régulier entre Angliers, terminus du Canadien Pacifique, et les lacs Fortune et Osisko, principales zones aurifères et cuprifères des cantons de Beauchastel et de Rouyn. Un journal titre fièrement : « Aux mines d'or en hydroplane. » À l'époque, on chasse encore le lièvre sur la rue Principale de Rouyn, mais dès les premiers dynamitages, les animaux sauvages s'éclipsent sans retour et les pistes forestières craquent sous le pas des derniers orignaux en fuite.

POUR TEMPÉRAMENTS AVENTUREUX. Un bon prospecteur, dit-on, décèle la présence de gisements non seulement aux affleurements rocheux, mais aussi à la couleur de la terre, à l'apparition d'insectes, à l'abondance de telle flore, même aux nuances de la lumière et à la saveur de l'eau. Il a quelque chose de la frémissante sensibilité d'un poète de la trempe de Novalis, minéralogiste et directeur de mines à Weissenfels, pour qui toute mine est symbole de l'inconscient, descente lampe au poing dans les opacités de la nuit intérieure… Mais aussi âme tourmentée à la recherche de nouveaux territoires vierges, ne disposant presque jamais des moyens propres à exploiter les richesses qu'il met au jour, tout prospecteur étant un peu boucanier, très capable de bluff et d'impostures, parfois prêt à jeter la fausse carte qui brise le jeu. De Friedrich Schiller, ce mot : « L'homme n'est parfaitement homme que lorsqu'il joue. » Et Gabrielle Roy de renchérir : « Les villes minières ont leur face de poker. »

C'est effectivement un milieu qui ne peut exercer d'attraction que sur les tempéraments aventureux, heureux hors des chemins battus et des routes plates. Il s'est passé quelque chose à cette époque qui s'est gravé dans le cortex régional et qui définit ce que sont encore aujourd'hui les Abitibiens. Sans ces points de repère, l'avenir peut se trouver bloqué.

ENTRE PALAIS ET CABANE. Des mineurs s'amènent qui s'étaient fait la main en Ontario, dans les camps miniers de Colbalt ou de Larder Lake au tournant du siècle, mais aussi des ressortissants originaires d'Europe orientale et danubienne, dont plusieurs se sont taillé un corps de forçat alors qu'ils étaient attachés à la construction du Transcontinental National au cours des années 1910. Tous les étés, plus de 2000 campeurs et prospecteurs font de brefs séjours en bordure du lac Osisko. Plusieurs maisons construites en hiver sur des souches, l'été venu voient leurs fondations se soulever ou s'enfoncer, ce qui fait se gondoler tous les planchers. La plupart ont des façades carrées aux pignons postiches à motifs sculptés, de type *boom town*, si bien que l'entrée sent le palais et le logement, la cabane.

LA BABYLONE DU NORD ? En 1924, les limites de la ville de Rouyn sont tracées. Les diverses constructions en bois rond ou en bois de planche, recouvertes de papier goudronné latté, sont éparses, plus ou moins mises en ligne. Insatisfaite des arrangements financiers qui lui sont proposés, la mine Horne décide d'établir un *townsite* séparé sur la rive nord du lac Osisko, qui prendra le nom de Noranda. En octobre de la même année, c'est déjà le bourdonnement continu de quelque 500 habitants permanents, voguant allègrement entre le magasin général de Joseph Dumulon, l'île du lac Osisko où Burt McDonald tient maison ouverte avec casino, et le premier hôtel de Rouyn, celui de James Green, sur le *lakeshore*.

Cornemuses écossaises, *tambouritzas* croates, mandolines ukrainiennes et violons québécois y jouent de façon enlevée. On fait la noce avec des femmes de tout plumage, et on n'a encore rien vu. La société festive, on le sait, fait de l'exception la norme, la périphérie y est toujours valorisée aux dépens du centre. Les accents endiablés d'un bandonéon chatouillent-ils les pieds, on se lance aussitôt dans la danse en turlutant, en sautant et en tournoyant jusqu'au moment où la chemise colle au dos, jusqu'à ce que le soleil fasse rougeoyer la surface paisible du lac Osisko. On y fait peut-être même des pique-niques sur l'herbe. Chose certaine, on y boit du Miquelon pour échapper à l'alcool frelaté de la prohibition américaine, d'autant que la prohibition sévit également en Ontario, tout à côté. Il y en a même dont c'est le métier de charroyer de gros barils de bière de Villemontel à Rouyn.

La municipalité grouille désormais de fêtards pittoresques, qui risquent vite de devenir une caricature d'eux-mêmes. Enivrée de sa propre trépidation, Rouyn est devenue une marmite de joueurs et autres lurons, de spéculateurs, d'opportunistes, d'aventuriers de tout acabit et de mineurs qui ont parfois parcouru le continent, du Mexique au Yukon, quand ce n'est pas en Russie ou dans les mers australes. Dans le désordre du démarrage, on ne s'étonne plus de rien. S'y multiplient les scènes de turbulence et de joyeuse paillardise qui ont fait la légende de la Californie des ruées, qui ont scellé l'aura du Colorado et du Klondike. Les gages durement gagnés s'évaporent en deux ou trois jours de bacchanales, dans le voisinage de la célèbre Klondike Jessie, bombe incendiaire juponnée. Lors de sa toute première visite en 1923, Mgr Louis Rhéaume s'en épouvante, et de Rouyn il gardera pour un temps le souvenir d'une infecte Babylone du Nord.

Dans un éditorial percutant paru le 15 septembre 1926, le premier journal de Rouyn, bilingue, humble feuille imprimée à la gélatine, le *Copper-Gold Era* se porte à la défense de la réputation de la ville minière contre ses calomniateurs, tout particulièrement contre un journaliste qui, après un bref séjour de quelques heures, a pu affirmer avoir aperçu des femmes nues courir dans les rues en plein jour et avoir constaté que deux maisons sur trois étaient habitées par des contrebandiers d'alcool, quand ce n'était pas de la bière du cru, du vin maison. Quoi qu'il en soit, l'année suivante, plus policée, la ville s'est débarrassée de ses asociaux les plus perturbateurs.

Après avoir arraché de son visage les verrues les plus protubérantes, Rouyn s'est bien assagie et quelque peu décolorée si l'on peut dire, car entre-temps, imposant la bride, le curé Albert Pelletier, qui est aussi garde-feu, a fait son apparition et les soeurs grises de la Croix d'Ottawa ont pris en charge l'hôpital des Saints-Anges.

Si bien que le 1ᵉʳ juillet 1927, lors des fêtes de la Confédération, le comité organisateur s'oppose vivement à ce que l'orchestre invité s'adonne aux rythmes dévergondés d'un charleston. C'est dans une « église de coton » ouverte à tout venant que les premières messes sont célébrées sous la tente. Pleins de vie, chats et chiens suivent souvent leurs maîtres à l'office religieux et y frétillent comme bon leur semble.

Toute mine qui se respecte assure à ses travailleurs hébergement, soins de santé et divertissements, sinon elle se retrouve aux prises avec une troupe de célibataires qui, se cherchant querelle, n'arrivent qu'à se pocher l'œil, à s'enivrer ou à gémir sur leur pauvre sort. Rouyn et Val-d'Or, entre autres, ont la réputation bien méritée d'avoir été, à leurs débuts, des villes mal policées, de style échevelé. En fait, toutes les villes de la faille de Cadillac offrent cette particularité d'avoir été systématiquement jumelées. Ainsi, parallèlement aux villes minières fermées, asservies à un rigoureux plan d'urbanisme, dans certains cas de véritables cités-jardins telles Noranda et Bourlamaque, ont proliféré des agglomérations autrement plus remuantes, avec toute la rusticité de leurs campements de fortune bâtis à la va comme je te pousse. Il en était ainsi, systématiquement, du rapport instauré entre Noranda et Rouyn, Cadillac et Petit-Canada, Malartic et Roc-d'Or, Bourlamaque et Val-d'Or, Pascalis et Perron.

Une menace à l'environnement. Émergeant à peine du néant, la ville de Rouyn se voit déjà couronnée du titre de « Jeune reine du Témiscamingue » (baignant dans les eaux tributaires de la Kinojévis qui se jettent dans la rivière des Outaouais, Rouyn-Noranda est donc physiquement au Témiscamingue, mais historiquement elle se réclame le plus souvent de l'Abitibi minière). À partir de 1925, on entame la construction à Noranda de la mine Horne et de sa fonderie de cuivre, qui démarre en 1927 et est portée au double en 1929. Mais, avant même qu'on ait posé la première brique de ses hauts fourneaux, il est bien entendu que cette fonderie rejettera du plomb, du zinc, de l'arsenic, du cadmium et du mercure, que ses cheminées laisseront échapper des gaz sulfureux mortellement nocifs à la végétation ambiante, dans un rayon de quelques kilomètres.

Déjà on laisse présager des cours d'eau empoisonnés à l'arsenic, des fosses éventrées, des paysages défleuris, enlaidis par de vastes champs de résidus miniers, une flore défeuillée, dévorée par les acides. Bouleaux, trembles et saules, les verdoyantes forêts des cantons de Rouyn, de Beauchastel et de Dufresnoy sont appelées à sécher sur pied. On y entaillait jadis des érables à sucre dont on recueillait l'eau comme en Beauce. Devant la perspective d'une végétation qui se desséchera comme le figuier maudit, les détenteurs de droits forestiers se ruent à l'assaut. Ils s'empressent de procéder à des coupes à blanc massives et de tirer d'énormes revenus de ce capital arborescent. Après la mise en service d'une usine d'acide sulfurique dans le voisinage de la fonderie Horne en 1989, les cheminées du complexe industriel ont considérablement dilué leurs émanations d'anhydride sulfureux.

Rouyn-Noranda, capitale régionale. Situé à 64 km des habitations les plus rapprochées, dans la zone de contact entre le vieux Témiscamingue rural et l'Abitibi du Transcontinental, à mi-distance entre les lacs des Quinze et

Macamic, ce bourg de Rouyn-Noranda, ce semblant de village aux maisonnettes mal alignées, dont les rues sont encore jonchées de marais, de pierres et de troncs d'arbres à demi brûlés, réussira à rassembler en 25 ans plus de 25 000 personnes. Il deviendra une agglomération de quelque 41 400 âmes, métropole et capitale commune de l'Abitibi et du Témiscamingue, centre universitaire et pôle de développement majeur du Moyen Nord québécois.

Quand le premier ministre du Québec, Alexandre Taschereau, visite Rouyn le 4 janvier 1927, il se fait dire par le maire Joachim Fortin qu'une « population de 3000 âmes est heureuse de pouvoir [lui] offrir les clés d'une ville où, un an passé, [il] n'aurait eu qu'à prendre la clé des champs ». Cette extraordinaire éclosion, cette effervescence ont été nettement pressenties puisque Rouyn et Noranda accueillent, dès le 24 septembre 1927, soit trois mois avant la première coulée de lingots de cuivre à la fonderie Horne, deux trains spéciaux du Canadien National à bord desquels se retrouvent les 350 membres du Congrès triennal des industries minières et métallurgiques de l'Empire britannique, avec délégués de l'Angleterre, de l'Afrique du Sud, du Canada, de l'Australie, de la Nouvelle-Zélande et de l'Inde.

L'agglomération de Rouyn-Noranda compte quelque 9000 âmes en 1937. Avec l'entrée en guerre deux ans plus tard, l'or n'est plus roi. Alors que l'Europe est en proie aux convulsions, priorité est donnée aux métaux essentiels à l'effort de guerre, dont le cuivre. Noranda tire alors admirablement son épingle du jeu. En novembre 1942, faisant fi de la superstition assez répandue chez les mineurs voulant que laisser descendre sous terre une femme attire le malheur, à la mine Waite-Amulet des jeunes filles patriotes se faufilent dans la cage d'ascenseur; elles descendent à des centaines de mètres, au-dessous de la lumière du jour, et dans la solitude oppressante des profondeurs elles parcourent les galeries de la mine à la rencontre des mineurs stupéfiés, auprès de qui elles moussent la vente de certificats d'épargne de guerre, dits « bons de la Victoire ».

L'INGÉNIOSITÉ AU SERVICE DES MINES. On n'a pas idée, aujourd'hui, des défis que durent relever, des trésors d'ingéniosité dont durent faire preuve les techniciens d'exploitation chargés de faire acheminer sur les sites miniers l'outillage encombrant, la lourde machinerie et les matériaux coûteux destinés à la production industrielle. À l'époque, seules les rivières tenaient lieu de voie de communication et, isolé en pleine sauvagerie parmi les rocs hérissés, l'argile collante et les marais tourbeux, à l'écart des cours d'eau qui comptent, le camp minier de Rouyn a longtemps offert de multiples résistances et imposé de longs détours, d'exténuants portages. Ce n'est qu'en 1927 que l'axe routier Macamic-Noranda-Angliers reliera l'Abitibi et le Témiscamingue.

À la fin des années 1930, le canotier qui s'immobilise au milieu du lac De Montigny, laissant tomber les rames sur ses eaux miroitantes, s'il promène alentour ses regards, outre le fait que les forêts environnantes ont été mises à mal par les incendies, voit aux quatre horizons des cheminées de mines, mais surtout de superbes monolithes dominant l'horizon dans un rayon de plusieurs kilomètres : les chevalements des mines Sullivan, Siscoe, Gale, Shawkey, Greene-Stabell, Harricana et Lamaque. Il y flotte alors un courant d'énergie, et chaque chevalement a ses particularités, comme chaque mine est exploitée différemment, selon les variations géologiques et les conditions du roc. Entre le moment où le gisement de minerai est délimité et celui de la mise en production, il faut compter en moyenne une période de sept ans, en plus d'énormes capitaux et des expertises techniques indiscutables. Dans toute exploitation, chaque coulage du premier lingot d'or devient donc un événement considérable.

Les premières mines de l'Abitibi sont accessibles par voie d'eau, donc relativement faciles à démarrer, sauf qu'elles s'avèrent vite coûteuses à exploiter à cause des frais de transport et de transbordement. Toute mesure visant la réduction des frais d'exploitation est bien accueillie, comme c'est le cas à la Greene-Stabell, où la mine s'élève à même une pente raide pour accélérer la descente du minerai vers les broyeurs et les concasseurs. Si la prospection se fait de manière un peu plus précoce et la mise en exploitation plus rapide dans le pourtour du lac De Montigny, dans la région de Val-d'Or, c'est précisément qu'à l'amont se situe la gare ferroviaire d'Amos.

L'HARRICANA, AUTOROUTE NATURELLE. L'Harricana offre une voie de pénétration fluviale sans rompre charge. Amos, qui tire un immense profit du flot de voyageurs qui y transite, devient un port fluvial très actif, avec ses grutiers et ses hangars, avec sa gare d'embarquement pour le minerai. Or, avec la mise en service du rail à Val-d'Or en 1937, Amos est déchu de son rôle de vestibule de la région minière. L'année 1937 marque en effet la brutale liquidation d'une grande époque de navigation fluviale commerciale sur l'Harricana et ses principaux affluents, en attendant que la route commencée en 1934, parachevée en 1939, fasse la trouée du Plateau laurentien au sud-est de Senneterre, via le bassin du Grand lac Victoria.

Tout l'équipement des premières mines des cantons de Dubuisson et de Bourlamaque vogue sur l'Harricana, une rivière que l'on peut remonter vers l'amont sur 112 km, transitant par les quais aménagés sur l'île Siscoe ou sur les rives des lacs De Montigny et Blouin. Y trône, à bord du *S.S. Siscoe*, le capitaine Irénée Yergeau, dit le père Caribou, avec sa forfanterie impérative et sa force herculéenne, personnage de légende autant que les bateliers du Mississippi qui étaient, comme chacun sait, moitié hommes et moitié alligators.

Toute une flottille de remorqueurs, de chalands, de péniches, de dragueurs, de navires dont trois vapeurs de fort tonnage, le *S.S. Siscoe*, le *S.S. Sullivan* et le *S.S. Val-d'Or*, assurent la navette entre le chef-lieu de l'Abitibi et les camps miniers des sources de l'Harricana. Le gisement Horne semble toutefois si fabuleux qu'il met en branle, en un temps record, toutes les ressources nécessaires à la prolongation du rail, du réseau routier et des lignes de transport d'électricité.

UN BOURDONNEMENT DE RUCHE. Çà et là, les ouvriers s'affairent : fonçage et aménagement de puits, érection de chevalements coiffant les orifices et logeant les câbles des cages d'extraction s'élançant des profondeurs vers la surface à une vitesse de 480 m à la minute, construction d'usines de broyage et de réduction, d'ateliers de

Pages 192-193 : Au cœur de la faille de Cadillac, au fond de la mine Agnico-Eagle, division Laronde.

Pages 194-195 : À plus de 2100 m sous terre, là où l'or livre encore ses promesses.

titrage de l'or, la production minière abitibienne devient rapidement la plus considérable du Québec, faisant surgir dans la marge rocheuse séparant l'Abitibi du Témiscamingue une région industrielle fortement peuplée. Une vingtaine de mines d'or y entrent en production au cours des années 1930. Val-d'Or démarre dans la trépidation en 1935, Malartic en 1936 avec 300 âmes. Quelque 60 mines s'activent le long de la faille de Cadillac entre 1925 et 1960, près de 50 000 personnes y prennent racine entre 1925 et 1950. Des agglomérations bâties de bric et de broc, simples ramassis de tentes et de baraques en rondins ou en bois de planche, se transforment en de belles villes florissantes, mais aux bâtiments de styles architecturaux aussi disparates que leurs constructeurs de toutes origines.

À partir des années 1930, les Junkers à coque d'aluminium accélèrent le transport des marchandises et de l'outillage, ces avions pouvant transporter par fret des charges d'environ une tonne. Des hydravions se posent comme des libellules sur les lacs, des chalands pontés et équipés de moteurs à essence succèdent aux bateaux à vapeur sur les eaux de moindre tirant et accèdent à l'extrémité de minces filets comme les rivières Colombière et Senneville.

La population de l'Abitibi-Témiscamingue double pratiquement tous les dix ans. De 1931 à 1951, elle augmente de 100 000 personnes. La production minière atteint un pic en 1942, et décroît depuis. Dès lors, maintes mines donnent des signes de fatigue et s'acheminent vers l'épuisement. Non pas que la valeur des gisements soit toujours directement en cause, c'est l'effondrement du cours des métaux qui en réduit les attraits et freine la production. Les réserves sont conservées pour des jours meilleurs. Ainsi, en janvier 1980, le cours de l'or atteint un record historique, touchant 873 $ US l'once. Et les Québécois francophones se taillent une place de plus en plus enviable dans tous les secteurs de l'activité minière, entre autres grâce à Cambior Inc.

LES FANTÔMES DES MINES. Toute agglomération minière est par définition peuplée de fantômes, plus particulièrement celles qui ont fait l'objet d'un démantèlement. On trouve ici et là en pleine forêt abitibienne des restes de chevalement rouillés, des socles bétonnés, les fondations de vieilles usines de traitement sur lesquelles la nature n'a pas encore tout à fait repris ses droits. En ces mines abandonnées, noyées, dont on a rempli de sable le puits d'accès et encerclé le site d'une haute barrière, l'Abitibi compte de nombreuses mines dormantes. Sitôt que l'or remplace le dollar américain comme valeur refuge, elles risquent de se voir tirées de leur assoupissement. C'est ainsi que la montée du prix de l'or à la fin des années 1970 stimula comme jamais la prospection, et vit la remise en activité d'anciens chantiers d'abattage.

MINES ET HAUTE TECHNOLOGIE. Aujourd'hui, la recherche minière se fait à l'aide de satellites, alors que les levés géophysiques sont effectués par hélicoptère ou à l'aide d'ordinateurs. L'avenir appartient aux mineurs maniant des télécommandes derrière des écrans vidéo. On se retrouve avec des chevalements dernière mouture, conçus pour être démontés et recyclés sur un autre site. Le nickel, le cuivre et le platine sont utilisés dans la fabrication de cartes d'ordinateur. L'or, comme le carbone, s'avère un élément aux propriétés tout à fait magiques dans l'infiniment petit, aux applications étonnantes en médecine. Les richesses minières de l'Abitibi-Témiscamingue gagnent les quatre coins du monde pour devenir des composantes de poutres de construction, d'automobiles, de vélos, d'avions, d'appareils ménagers, de monnaies, de satellites de communication et de navettes spatiales.

Objet satellisé dans l'espace, la sculpture aérienne de Daniel Corbeil suspendue dans le hall du Centre culturel de Val-d'Or, illustre de belle manière que l'or a des applications jusque dans le domaine de l'industrie spatiale : une partie de la sculpture est constituée d'un bras télescopique terminé par une coupole de communication semblable à celles que l'on trouve sur les satellites.

Pages 198-199 : L'ouest de Val-d'Or, depuis la tour Rotary, avec,
au loin, le lac De Montigny baignant les secteurs Sullivan,
Vassan et Dubuisson.

Quand, par route, on pénètre en Abitibi depuis Montréal,
l'apparition du château d'eau de l'ancienne mine Sigma,
à Val-d'Or, donne le signal de l'accession à l'Abitibi minière.

Pages 200-201 : À l'entrée est de Val-d'Or, l'exploitation
à ciel ouvert de Century Mining creuse démesurément son cratère.

Dans le quartier Sullivan, le château d'eau de la première mine découverte dans le pourtour du lac De Montigny, en 1911.

Lieux de commémoration et sources d'enchantement

RÉGION D'EXCEPTION POUR PERSONNAGES EXCEPTIONNELS. On l'a vu, l'histoire de l'Abitibi-Témiscamingue est marquée de personnages exceptionnels; quand la région ne leur donne pas naissance, elle les attire et souvent les retient. C'est un milieu propice à la contemplation créatrice, à l'exercice de la pleine liberté, à l'élaboration de nouveaux imaginaires et à la conquête de territoires inentamés. Nous avons évoqué le souvenir de Joseph Moffet, d'Hector Authier, d'Alexina Croteau, de Stanley Siscoe et d'Edmund Horne, tous forts de carrure et de caractère. Du feu et du fond, partageant une semblable vitalité, ses artistes sont souvent portés par une inspiration à la fois sombre et flamboyante, de même que ses remarquables hockeyeurs, ses innovateurs d'une débordante inventivité et ses entrepreneurs hors norme.

Coin de pays bien défini, avec ses traits d'exception, l'Abitibi-Témiscamingue assume à la fois la nécessité de virages et le besoin de continuité. Lieu de passage et de migration, lieu de brassage de populations et de langues, cette région qui excite l'étonnement a redessiné la carte du Québec et en a multiplié les réseaux. Elle s'avère aujourd'hui grouillante de lieux de commémoration, de sources d'enchantement qui incitent à aller au bout de sa fascination.

AU TÉMISCAMINGUE. Le fort Témiscamingue, érigé en 1720, est aujourd'hui un lieu historique. On y commémore, par des expositions, des films thématiques et des circuits extérieurs, le rôle essentiel qu'a joué ce poste de traite dans le commerce des pelleteries pendant près de deux siècles. À Angliers, on peut monter à bord du plus important remorqueur du lac des Quinze, le *T.-E. Draper*, amarré à quai, et visiter le Chantier Gédéon, reconstruction d'un camp de bûcherons des années 1930 avec son aire d'abattage et de mise à l'eau. Le Musée de Guérin, sur le site inusité d'une ferme ayant appartenu à monsieur le curé, est aussi très intéressant. De style victorien, le Musée de la gare est sis à Témiscaming, ville érigée en 1920 selon le principe des cités-jardins, conçue en 1917 par Thomas Adams, le plus célèbre urbaniste canadien de l'époque.

La Maison du frère Moffet, construite en pièce sur pièce, est la plus ancienne résidence de la région ; elle a été érigée en 1881 par les oblats. Le Centre thématique fossilifère de Notre-Dame-du-Nord offre pour sa part des safaris-fossiles hors des sentiers battus et une exposition permanente recréant le milieu marin du Témiscamingue d'il y a 420 à 480 millions d'années, avec ses vestiges fossilisés et ses animaux relevant presque du fantastique. Le vieux moulin à aubes, la Chambre des émaux et l'église en pierre de taille de style Dom Bello de Rémigny sont aussi à voir, de même que le Centre d'interprétation de la guêpe de Laverlochère où, dit-on, « plus de 800 nids de guêpe piqueront votre curiosité ».

DANS LA RÉGION DE ROUYN-NORANDA. Pour relater l'exceptionnelle ruée minière, deux comédiens incarnant Joseph et Agnès Dumulon font revivre l'effervescence du Rouyn des temps pionniers dans la Maison Dumulon, en bordure du lac Osisko. La fonderie Horne nous montre, pour notre simple plaisir, comment on coule dans l'incandescence des anodes de cuivre. Pour sa flamboyante architecture alliant bois, cuivre et granit, le campus de l'Université du Québec en Abitibi-Témiscamingue vaut le coup d'œil. À voir aussi, le Théâtre du Cuivre, hôte du Festival international du cinéma en Abitibi-Témiscamingue, le Musée minier Horne, l'église orthodoxe russe Saint-Georges devenue site d'interprétation religieuse et d'histoire des divers groupes ethniques ayant marqué le développement régional. À Destor, le site récréotouristique Destination Or offre des activités sur le thème de la prospection aurifère.

DANS LE SECTEUR DE VAL-D'OR. Le Village minier de Bourlamaque, véritable musée vivant, constitue le seul exemple au Québec d'une agglomération entièrement construite en rondins d'épinettes blanche et grise. La Cité de l'Or invite le visiteur à devenir mineur d'un jour, avec descente sous terre dans les galeries de l'ancienne mine Lamaque ; c'est la plus profonde mine d'or du Canada accessible aux touristes. Un détour par Kitcisakik, dans la Réserve faunique La Vérendrye, permet de contempler le plus ancien temple de l'Abitibi-Témiscamingue, érigé en 1863. Le parc Des Marais, à proximité du Centre d'études supérieures Lucien-Cliche, réunit en plein cœur de Val-d'Or des sculptures du Symposium en arts visuels de l'été 1993. La présentation multimédia du Musée minéralogique de l'Abitibi-Témiscamingue, à Malartic, fait découvrir la structure et la transformation du paysage géologique de la terre. L'église orthodoxe russe Saint-Nicolas, à Val-d'Or, a été récemment restaurée. Le Centre d'amitié autochtone est particulièrement apprécié pour sa boutique d'art et d'artisanat, pour son exposition permanente sur l'histoire de la présence algonquine et crie dans la région de Val-d'Or et à la baie James, pour ses fanions extérieurs représentant les animaux totémiques des onze nations autochtones du Québec et sa vaste murale célébrant la Grande Paix de Montréal.

AU CŒUR DE L'ABITIBI. Dans la région d'Amos, on trouve la maison Authier. Le Dispensaire de la Garde à La Corne, lieu de mise en valeur de la profession d'infirmière de colonie, propose par ricochet un vaste historique de la colonisation. À Pikogan, on peut profiter d'une visite commentée de l'église Sainte-Catherine en forme de tipi. À voir aussi, le Parc héritage de Saint-Marc-de-Figuery, qui comprend le Musée de la poste et une boutique de forge. Joyau de l'art romano-bysantin égaré en Abitibi, construite en 1922-1923, la cathédrale Sainte-Thérèse-d'Avila vaut le détour, notamment pour la beauté de ses verrières françaises et de ses mosaïques. À La Ferme, on trouve le fameux site du camp d'internement de Spirit Lake. Quant aux trois ponts couverts du secteur Rochebaucourt, ils nous transportent en plein milieu rural.

EN ABITIBI-OUEST. L'École du rang II d'Authier nous plonge dans une journée de classe typique des années 1940 grâce à son théâtre de participation. L'intéressante galerie Sang-Neuf Art est sise dans une ancienne boutique de forge de Palmarolle; lors du 75e anniversaire de ce village, 30 édifices publics et 80 résidences s'étaient dotés de girouettes superbement variées. Le Café des Rumeurs de Gallichan, lui, met en valeur une impressionnante collection archéologique privée, alors que le Musée des voitures à chevaux de Colombourg couvre des facettes méconnues du monde rural.

De style baroque, la belle église en pierres des champs de Rapide-Danseur renferme dans son sous-sol une collection de tableaux d'artistes régionaux et les « antiquités » d'un inspecteur de la colonisation des années 1930. La Maison Lavigne possède pour sa part une intéressante collection de photos anciennes et de maquettes sur les ponts couverts d'Abitibi-Ouest. Au Centre d'interprétation de la foresterie, on peut voir une exposition permanente sur la vie dans les camps forestiers des années 1930.

ET DES ATTRAITS NATURELS... L'Abitibi-Témiscamingue est dotée d'une faune abondante et d'une flore aussi riche que variée. Nous sommes ici en présence d'une région opulente en lacs et en forêts, véritable éden pour les amateurs d'aventure et de plein air, pur délice pour les naturalistes, lieu de prédilection pour l'observation de l'histoire géologique et glaciaire du Québec. L'Abitibi-Témiscamingue offre en outre aux visiteurs une multitude de pourvoiries, de nombreuses pistes d'hébertisme, un réseau de 3700 km de sentiers de motoneige et des sites naturels à couper le souffle : le sentier d'interprétation de l'École buissonnière dans la forêt Piché-Lemoine, dans le secteur Dubuisson à Val-d'Or. Le Parc botanique À fleur d'eau et le Jardin géologique de Rouyn-Noranda, avec ses 17 blocs de minéraux d'au moins cinq tonnes chacun, provenant d'autant de mines, de sites miniers ou de carrières de la région, sont splendides. Recouvrant un ancien cimetière amérindien, la cédrière du vieux fort Témiscamingue, dite Forêt enchantée, tapissée d'un fond moussu dépourvu d'herbe, renferme des thuyas trop serrés les uns contre les autres et qui se tordent magnifiquement comme des tire-bouchons. Leurs troncs sont parfois fortement spiralés, comme s'ils concurrençaient entre eux pour accaparer la lumière du ciel.

Là où l'espace soudain change de relief, où l'on peut avoir l'impression de fouler du pied un sol dont l'activité volcanique date de 2,7 milliards d'années, surgit le Parc national d'Aiguebelle. Son grand escalier hélicoïdal, accroché à flanc de falaise, domine le lac La Haie, long miroir bleu au fond d'une fosse taillée d'un coup d'épée dans le roc, avec sa passerelle d'une longueur de 64 m flottant à plus de 22 m d'altitude. Le visiteur est chaque fois ébloui devant ces panoramas et ces excentricités, tel le pont japonais sur le lac Sault. À ne pas manquer non plus, les parcs ruraux, comme ceux que l'on trouve à Rapide-Danseur ou à l'île aux Hérons, à Macamic, le marais Antoine à Roquemaure, le marais Laperrière à Duhamel-Ouest où se retrouvent plusieurs espèces d'oiseaux, dont le butor d'Amérique, le canard colvert, le pygargue à tête blanche et le martin-pêcheur d'Amérique.

Les falaises escarpées de la baie du Canal et les héronnières des îles du lac Kipawa, à Laniel, retiennent, eux aussi, l'attention de plus d'un. La douzaine de Marmites de Géants aux Grandes Chutes, en amont de la rivière Kipawa, laisse deviner la présence d'un lac de l'ère postglaciaire. Le Refuge Pageau, à Amos, est un des rares domaines où règne un ancien trappeur : Michel Pageau, dont on dit qu'il parle avec les loups et que l'on soupçonne même de converser avec les poissons rouges, est le créateur d'un asile pour animaux blessés, égarés ou abandonnés, qu'il accueille et soigne avant de leur faire regagner leur habitat naturel. À Ville-Marie, le Parc du centenaire offre une vue imprenable sur le lac Témiscamingue. Enfin, dans l'archipel du lac Duparquet, qui comprend environ 150 îles, on trouve des cèdres blancs « bonsaï » millénaires.

La route de l'île du Collège, à Duhamel-Ouest.

Pages 210-211 : Au cœur du village de Laverlochère.

Pages 212-213 : La Maison du Colon et l'école Moffet, à Ville-Marie, chef-lieu du Témiscamingue.

Pages 214-215 : Résidence de Fabre, au Témiscamingue.

Pages 216-217 : Monument de style romano-byzantin, la cathédrale Sainte-Thérèse-d'Avila est érigée en 1922, dans le chef-lieu historique de l'Abitibi : Amos.

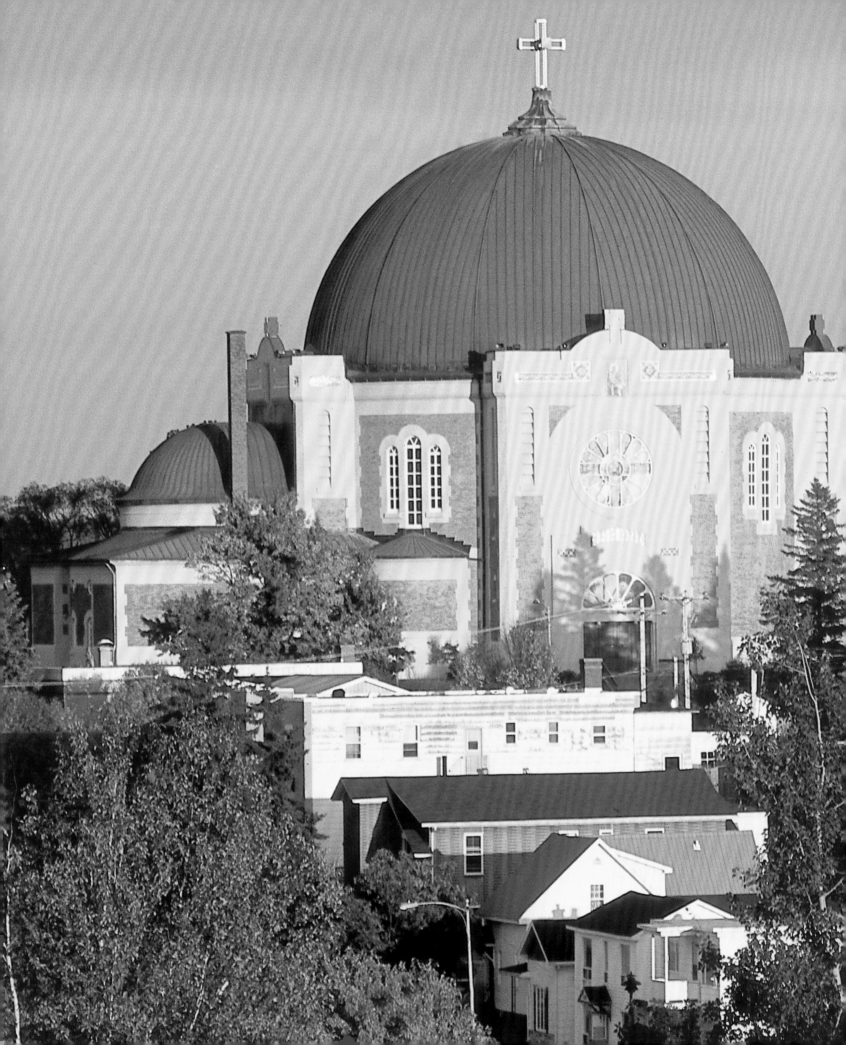

Bibliographie

BENOIST, Émile. *L'Abitibi, pays de l'or,* Montréal, les Éditions du Zodiaque, 1938.

BLANCHARD, Raoul. *L'Ouest du Canada. Les pays de l'Ottawa. L'Abitibi-Témiscamingue,* Montréal, Beauchemin, 1954, 336 p.

BOILEAU, Gilles et Monique DUMONT. *L'Abitibi-Témiscamingue,* Québec, Éditeur officiel du Québec, 1979, 240 p.

BUIES, Arthur. *L'Outaouais Supérieur,* Québec, C. Darveau, 1889, 308 p.

CHABOT, Denys et Céline DÉZIEL. *Hector Authier, le père de l'Abitibi,* Montréal, Lidec, Célébrités/Collection biographique, 2004, 62 p.

CHABOT, Denys. *L'Abitibi minière,* Val-d'Or, La Société d'histoire et de généalogie de Val-d'Or, 2002, 408 p.

CHÉNIER, Augustin. *Notes historiques sur le Témiscamingue,* Ville-Marie, 1937.

COUTURE, Yvon H. *Les Algonquins,* Val-d'Or, Éditions Hyperborée, Racines amérindiennes, 1983, 192 p.

GACHES, Sophie, François HÉNAULT, Yves OUELLET et Sylvie RIVARD. *Abitibi-Témiscamingue Grand Nord,* Montréal, Éditions Ulysse, 1998, 256 p.

GOURD, Benoît-Beaudry et collaborateurs. *Itinéraire toponymique de l'Abitibi-Témiscamingue,* Québec, ministère des Communications, Études et recherches toponymiques 8, 1984, 102 p.

MIQUELON, Jacques. *Souvenirs d'Abitibi,* Val-d'Or, La Société d'histoire et de généalogie de Val-d'Or, 2005, 280 p.

MIRON, Fernand, avec la collaboration d'Anita BOYER. *Abitibi-Témiscamingue – de l'emprise des glaces à un foisonnement d'eau et de vie : 10 000 ans d'histoire,* Sainte-Foy, Éditions MultiMondes, 2000, 160 p.

SAINT-GERMAIN, Daniel. *Sept jours dans la vie de Stanley Siscoe.* Gatineau, Vents d'Ouest, 2005, 150 p.

SAVARD, Félix-Antoine. *L'Abatis,* Montréal, Fides, 1943, 176 p.

Remerciements

Je tiens à remercier particulièrement Luc et Pauline, mes parents, qui ont toujours cru en mes projets ; ils m'ont appris et aidé, dès le départ, à vivre selon mes rêves.

Merci à Guy Lemire, à Isabelle Lessard et à Michel Défossés, pour leur confiance en mon projet et pour leur aide indispensable à lui donner son élan.

Merci à Pierre Corbeil pour son implication, ainsi qu'à toute l'équipe de la Conférence régionale des élus, au Forum jeunesse et plus particulièrement à Maude Guy.

Merci à France Lemire, pour son implication et son dévouement.

Merci à Randa Napki, de l'Association touristique de l'Abitibi-Témiscamingue, et à Stéphanie Lamarche, de la Société de développement du Témiscamingue, pour ces voyages qu'elles m'ont fait faire aux quatre coins de la région afin de couvrir leurs besoins photographiques.

Merci à toute l'équipe de l'Association forestière de l'Abitibi-Témiscamingue, pour les commandes photographiques en pleine nature qui m'ont permis de mieux connaître « l'arrière-pays » magnifique de l'Abitibi-Témiscamingue.

Merci à Dany Gareau, pour ce séjour exceptionnel dans les étendues sauvages de la zec Dumoine.

Merci à France Simard, du Parc national d'Aiguebelle, pour son aide et pour son accueil au parc.

Merci à l'équipe de la mine Agnico-Eagle, division Laronde, pour ce voyage unique à 7000 pieds au cœur des filons d'or de la faille de Cadillac.

Merci à Mireille Grenier, pour son accueil à la fonderie Horne et pour m'avoir permis de vivre l'expérience des coulées de métaux en fusion.

Un merci bien spécial à mon ami Marc-André, pour toutes ces explorations en canot, en kayak, en raquette et en motoneige là où personne ne voulait m'accompagner.

Mille mercis à Sophie, ma compagne, qui me suit partout dès qu'elle le peut et pour sa patience lors de mes nombreuses absences. Merci à toutes les autres personnes qui ont contribué de près ou de loin à ce projet.

Achevé d'imprimer au Canada
sur les presses de Quebecor World

sur les presses de Quebecor World

Table des matières